JE VOUS ÉCRIS

DU MÊME AUTEUR

aux éditions du Seuil

L'Admiroir
roman, 1976
et « Points Roman », n° R 219

Le Nez de Mazarin
roman, 1986
et « Points », n° P 86

Le Voile noir
1992
et « Points », n° P 146

*

Lucien Legras, photographe inconnu
présentation de Patricia Legras
et Anny Duperey
1993

Anny Duperey

JE VOUS ÉCRIS

Éditions du Seuil

TEXTE INTÉGRAL

ISBN 2-02-023152-2
(ISBN 2-02-020693-5, 1re publication)

Ce livre est dédié à tous ceux
dont les cris ne sont pas entendus.

A vous qui m'avez écrit,

Vous serez sans doute étonné de recevoir ces quelques pages plusieurs mois après m'avoir envoyé votre lettre au sujet du *Voile noir*. Sachez que je l'ai bien reçue et que je l'ai lue, écoutée, vraiment reçue, de personne à personne. J'en ai été infiniment touchée aussi – et quelquefois à un point que vous n'imaginez pas.

Pardonnez-moi de vous envoyer une lettre collective, à vous qui m'avez écrit en particulier, mais je ne peux faire autrement pour une simple question de temps. Je pense que vous le comprendrez. Ces marques d'amitié que vous m'avez témoignées, de compréhension, de chaleur ont eu une telle importance pour moi qu'elles m'ont conduite à vous écrire aujourd'hui pour vous faire part d'un projet qui me tient fortement à cœur.

Je dois vous dire que lorsque j'ai terminé d'écrire *Le Voile noir*, ça n'allait pas bien fort ! Il n'en est publiquement rien paru – du moins je l'espère – mais j'étais collée à ma dernière page, en plein désarroi et m'interrogeant encore sur la nécessité de livrer mon histoire au public, à ce que je nommais dans une interview « d'autres sensibilités anonymes ».

Pendant le temps de la fabrication du livre, je fis deux rêves terribles, que j'ai bien du mal d'ailleurs à appeler « rêves » tant ils ont eu une réalité traumatisante – ou révélatrice ? – et un effet choc sur moi. J'étais en passe de me noyer dans mes émotions quand le livre fut sur le point de sortir et que j'eus à faire front à un nouvel exercice : en parler à la presse. Cela me fut très bénéfique et, si je fis tant d'interviews, ce fut non seulement dans un but de promotion, mais aussi parce que le fait d'en parler me faisait du bien. J'avoue tout de même que lorsque je prononçai à voix haute pour la première fois « mon père, ma mère », je n'étais pas bien sûre de finir l'interview sans éclater en sanglots. Mais enfin, ça a tenu... et cela m'a été utile.

Et puis le livre est sorti.

Quelqu'un m'a cité une phrase de Sartre que je trouve délicieuse : « Il ne m'était jamais venu à l'esprit qu'on écrivait pour être lu. » Moi, certes, l'idée m'en était venue puisque j'avais beaucoup réfléchi au fait de faire lire, ou non, ce que j'avais écrit, mais cela représentait pour moi une sorte de monologue adressé à des lecteurs indistincts. Je n'avais pas pensé du tout, du tout, que des gens, des personnes me répondraient, me parleraient aussi directement, m'offrant sentiment de partage, paroles d'apaisement, mise en garde aussi parfois sur la difficulté du chemin à parcourir encore. Des mots du cœur, de la belle écriture sincère...

Surprise d'abord, je fus « cueillie » une ou deux fois, émue, et très bientôt j'attendis MES lettres. Je les séparais des autres, j'attendais de les lire tranquille, puis je les relisais encore. A la longue cela provoqua chez quelques proches un certain agacement. Je dis cela franchement car vous avez pour la plupart vécu des événements très durs, approchants, et vous savez sans doute comme sont de peu d'aide justement les personnes les plus intimes. Autour de moi on n'avait qu'une hâte, par amour ou par amitié, c'était de me voir « sortir de là le plus vite possible », alors que je venais à peine d'accepter d'y entrer... Non, ce n'était pas parce que j'avais « craché le morceau » que c'était terminé, digéré, et qu'il n'y avait plus rien à dire, à chercher – au contraire.

Bref, le dialogue était ailleurs. Il était avec vous, d'une manière ou d'une autre, chacun me donnant ce qu'il avait à me donner, répondant parfois d'une façon incroyablement précise à mes questions, à mes doutes.

Il me fut même offert la vérité sur ce qui s'était passé le matin de la mort de mes parents. Quand j'y pense, c'est vraiment extraordinaire et je ne connais pas d'auteur dont la vision d'un événement capital dans sa vie n'ait été radicalement transformée grâce à ses lecteurs !

Si je n'avais pas écrit ce livre, personne, jamais, ne m'aurait donné cette vérité qui m'est un si grand soulagement, m'ôtant la culpabilité que j'ai toujours éprouvée et les doutes affreux que j'ai pu avoir sur l'envie de vivre de ma mère.

Enfin ce sont toutes ces choses, et d'autres encore, très fortes, qui me poussent à vous écrire aujourd'hui car je voudrais faire un livre à partir de vos lettres.

Je conçois que vous pouvez être étonné, voire que vous ayez même un recul devant l'idée, mais pourtant je voudrais que vous me fassiez confiance. Il ne s'agit pas de vous « livrer » impudiquement. Je voudrais prendre parfois quelques mots, un paragraphe, ce qui m'était véritablement adressé à moi. IL NE SERAIT, BIEN SÛR, CITÉ AUCUN NOM, AUCUNE DATE, RIEN QUI PUISSE PERMETTRE À QUICONQUE DE VOUS RECONNAÎTRE.

En somme, il s'agirait d'une participation tout à fait anonyme à un kaléidoscope de voix humaines qui viendraient en contrepoint d'un texte que j'ai commencé à écrire et dans lequel je raconte tout simplement, longue lettre à vous adressée, ce qui m'est advenu – moralement, bien sûr – au sujet du deuil, dès le moment où j'ai posé le stylo après avoir écrit le dernier mot du *Voile noir* et pendant un an environ après.

Ce ne sera pas une suite du livre, mais plutôt une conséquence – inattendue pour moi – une expérience d'écriture avec vous.

J'ai envie de vous dire aussi comment l'idée m'est venue. J'avais été extrêmement frappée par le fait que personne ou presque ne me demande de réponse, me précisant parfois même que c'était inutile – je pense avoir répondu quand on me posait une question précise ou à ceux qui souhaitaient savoir si leur lettre m'était bien parvenue. Or, j'avais très envie de répondre, mais cela m'était matériellement impossible. Puis, au bout d'un an, j'ai relu toutes vos lettres, toutes ces manifestations de sensibilités si différentes qui avaient pourtant toutes un ton en commun : celui de la sincérité.

J'ai pensé : « Je ne peux tout de même pas garder tout ça pour moi seule... » Et voilà comment l'envie m'est venue de « rendre » à mon tour ce que vous m'avez donné – comme le dit si bien cette phrase que l'un de vous m'a offerte et dont je me nourris beaucoup depuis : « Tout ce qui n'est pas donné est perdu. »

Je vous joins aussi un petit texte de Simone de Beauvoir que je voudrais mettre en ouverture du livre, car on ne peut mieux dire ce que j'avais tenté de faire avec *Le Voile noir* et ce que vous avez fait à votre tour en m'écrivant : briser la solitude, faire que le cri solitaire devienne dialogue.

Enfin, voilà. J'espère m'être bien expliquée et que vous aurez confiance en mon travail.

Je vous remercie encore pour ce que vous m'avez donné. Je me sens plutôt bien maintenant. Vraiment mieux, oui...

Ah ! un titre s'est imposé à moi : *Je vous écris*...

Amitié.

Toute douleur déchire ; mais ce qui la rend intolérable, c'est que celui qui la subit se sent séparé du monde ; partagée, elle cesse au moins d'être un exil. Ce n'est pas par délectation morose, par exhibitionnisme, par provocation que souvent les écrivains relatent des expériences affreuses ou désolantes : par le truchement des mots, ils les universalisent et ils permettent aux lecteurs de connaître, au fond de leurs malheurs individuels, les consolations de la fraternité. C'est à mon avis une des tâches essentielles de la littérature et ce qui la rend irremplaçable : surmonter cette solitude qui nous est commune à tous et qui cependant nous rend étrangers les uns aux autres.

Simone de BEAUVOIR
Tout compte fait.

J'ai fini d'écrire *Le Voile noir* le 14 septembre 1991. Je m'étais fixé cette date-butoir car la fin août m'avait vue impuissante à l'achever, et je devais commencer un tournage le 16 septembre. Il me manquait peu de pages et pourtant c'était pour moi énorme : il s'agissait du dernier texte, la fin, la conclusion, et une terrible résistance m'empêchait de l'écrire. Je n'y arrivais pas. Pourtant j'avais quelque chose à définir, à cerner, quelque chose à « cracher » d'absolument essentiel, pour clore ce que j'avais entrepris. Et cela me fuyait – ou je l'évitais, malgré moi. Mes pensées désordonnées couraient dans tous les sens, elles butaient, elles dérapaient sur ce que j'avais à dire. Ou bien je sombrais de temps en temps dans une sorte d'abrutissement et j'avais l'impression de régresser vers un *b a ba* englué.

Non, ça ne « sortait » pas.

La rentrée scolaire arrivait, il fallait plier bagages, quitter la retraite estivale et creusoise. Un peu penaude, pas très contente de moi, je fermai les deux énormes classeurs qui contenaient les photos de mon père en 30 × 40 protégées par des enveloppes plastique, avec mes textes dactylographiés intercalés entre elles, et les fourrai dans le sac de voyage qui contenait aussi mon manuscrit, brouillons, dictionnaire des synonymes, etc. Le tout était très encombrant et épouvantablement lourd – au propre comme au figuré... En effet, ce n'était certainement pas tout à fait un hasard si j'éprouvais le besoin de matérialiser trente-cinq ans de silence par un nombre de kilos presque équivalent, machine à écrire comprise. Me voir ployer sous la charge depuis deux ans, transportant mon œuvre en cours de-ci, de-là, devait être à la limite du comique ! Et voilà que ce n'était pas fini...

Les courses de la rentrée, la reprise de la vie parisienne

me distrayèrent un peu et, inspiration soudaine, je proposai à mes enfants d'aller humer l'air de la côte normande deux ou trois jours avant de reprendre la classe. En Normandie, où je retourne si rarement et où je dus aller souvent étant petite avec mes parents, bien que je n'en aie aucun souvenir... Cette envie, sans doute, n'était pas tout à fait innocente.

Pendant deux jours je vécus à plein temps et avec une grande acuité cette dualité (qui n'est peut-être en réalité qu'apparente) : être entièrement avec mes enfants et en même temps, PARALLÈLEMENT, subtilement ailleurs avec mes morts. C'est ainsi, d'ailleurs, que j'avais toujours vécu et aimé, simplement à présent je le savais. Mais si mes enfants étaient là, bien là sous mes yeux, sous mes mains, où étaient mes parents, qui n'étaient pour moi ni au cimetière où je n'avais jamais remis les pieds, ni symboliquement au ciel comme le croient les bons chrétiens ? Où étaient-ils donc ? Qu'en avais-je fait ?

Au deuxième jour de jeux et de promenades sur le sable, de crêpes dévorées avec le beurre qui coule entre les doigts, je devins fataliste. Je n'avais pas fini mon livre, bon, et après ? Quelle urgence ? Je n'étais pas parvenue assez vite à m'amener où je devais aller, quelque chose en moi me barrait le chemin. Peut-être était-ce salutaire ? Peut-être n'était-il pas temps pour moi de trouver ?

Je connais fort bien ce genre de raisonnement, je l'utilise abondamment, c'est admirable pour couper court à un dilemme et se faciliter la vie. J'étais tout simplement en train de céder à la tentation d'ajourner encore quelques mois (car je savais ne pas pouvoir écrire pendant le long tournage qui m'attendait), voire un an la finition du livre, à rêvasser sur les photos de mon père dormant dans l'ombre des classeurs, ces photos encore tout à fait à moi, trimbaler encore longtemps de-ci, de-là, mes kilos symboliques de non encore dit, mon secret. En somme planait, tentatrice, la possibilité de CONTINUER ainsi.

Pourtant je sentais que ce n'était pas bien, que ce n'était

pas sain de caler à dix ou quinze pages de la fin – la fin du livre, bien sûr, car je soupçonnais d'ores et déjà qu'en ce qui concernait mes émotions c'était une autre histoire ! Ma recherche menaçait de virer à l'autocomplaisance et, regardant mes enfants jouer dans l'eau, ces enfants nantis d'une grande famille du côté de mon compagnon, et d'un grand vide, d'un mystère total de mon côté à moi, mère apparemment si ouverte et pourtant si fermée, occultant tout un pan du passé et LEUR origine aussi, je sentais que pour eux, rien que pour eux, il aurait fallu achever le plus tôt possible...

C'est vers deux heures du matin que je me réveillai. Nous avions loué une chambre familiale dans un vieil hôtel qui donne directement sur la plage. On n'avait pas tout à fait fermé les rideaux pour apercevoir la mer au réveil et l'enseigne de l'hôtel colorait la pénombre en vert.

J'étouffais.

Pourtant j'avais l'habitude de ce malaise. Depuis deux ans, il ne me quittait pas, je pourrais dire que c'est presque lui qui m'avait poussée à écrire. Ce n'était pas que je manquais d'air, non. C'était cette pénible impression de n'en pouvoir prendre qu'un petit peu à la fois, une respiration sans amplitude, bloquée vers le haut. Et impossible d'expirer à fond, d'EXPRIMER totalement. Quelque chose là qui gonfle, qui prend toute la place. Je disais souvent : « J'ai le plexus collé au plafond. » Ce n'était pas une simple image, j'avais physiquement réellement le thorax élargi et avec mes deux mains j'essayais de comprimer mes côtes inférieures pour me vider de ce poids. Peine perdue, c'était là, immuablement là. Pas d'autre chose à faire que de continuer de respirer *a minima*.

Et puis écrire...

Je m'aperçois aujourd'hui que choisir un fauteuil à accoudoirs pour y rester des heures à travailler n'avait pas été un hasard. Pendant mes longues (!) pauses de réflexion, prenant appui avec mes avant-bras en remontant les épaules vers les oreilles, je gagnais un peu de capacité respiratoire vers le haut.

Je me réveillai donc dans cet hôtel normand, cherchant l'air comme un poisson, la respiration bloquée comme jamais dans la région supérieure de mes poumons. Ça me faisait mal dans le dos, me tirait sur les reins.

Je me levai sans faire de bruit, renonçant à essayer de me rendormir et, les possibilités d'évolution dans une chambre d'hôtel – même familiale – étant restreintes, je m'assis au milieu de la pièce sur une très inconfortable chaise en bois, arc-boutée en arrière sur le dossier pour essayer de détendre ce que j'avais de noué sous la poitrine, ce poids au creux de mon ventre, ce perpétuel, à présent chronique gonflement d'avant sanglot.

Je suis restée ainsi à écouter la calme respiration de mes enfants endormis et celle, si régulière, de la mer un peu plus loin, moi cherchant la mienne. J'écoutais, je laissais faire... Je retrouvais une sensation déjà connue – cette manière d'être « autour » de quelque chose, alourdie, porteuse et protectrice d'une boule invisible et précieuse, là, dans mon ventre. Et cela s'enflait, s'enflait, prenait toute la place. Mais cette fois il ne s'agissait pas de vie...

C'est cette nuit-là que j'ai enfin localisé mon regret enkysté à l'intérieur de moi. Cette crypte obscure et secrète où mon chagrin avait figé mes morts depuis plus de trente ans, immuables entités de lui et d'elle pétrifiées dans cet espace clos, comme une chambre interdite, sacrée et interdite, même à moi jusqu'à ce jour.

C'était là. Je les portais. Ils étaient là, mon père, ma mère, imbriqués au creux de mon être, tristes momies fœtales enfermées. Je pensai : « Et dire que j'ai tout de même pu faire des enfants avec "cela" en moi... »

Et, arc-boutée sur ma chaise, je respirai à petits coups, inondée de larmes qui coulaient toutes seules. La même position, la même respiration, la même gêne d'avant accouchement... J'écrivis sur un bout de papier, dans le noir pour ne pas réveiller les petits : « Votre mort m'a rendue à jamais enceinte de vous. » J'avais trouvé, je pouvais finir.

Je savais à coup sûr que là se situait la fin de mon livre,

que là pour le moment s'arrêtait tout ce que j'avais à dire. Que je ne pourrais pas aller plus loin. Suffisait d'avoir trouvé où c'était, ce que c'était, même si je n'étais pas bien sûre d'avoir la clé... Restait à donner le coup de reins final, trouver les mots pour traduire, pour livrer.

Délivrer ? Pour l'heure je n'aurais même pas osé penser un mot aussi hardi. Les jambes flageolantes, trempée comme une soupe, je me recouchai près de mes enfants. Non, je n'allais pas rester ainsi encore des mois, un an. J'allais achever.

Je m'étais donné trois jours.

Mon compagnon avait organisé un week-end sportif avec les enfants et des amis, me libérant ainsi de cette vague culpabilité qui empoisonne toujours la vie des mères quand elles s'éloignent pour créer quelque chose. J'enfournai encore une fois mes lourds classeurs dans leur sac avec les cahiers, pris la machine, mis le tout dans ma voiture et, avec la ferme détermination de m'arracher cette fin du livre coûte que coûte, je roulai vers la Creuse.

Je pensais être trois jours seule là-bas. Trois jours de plongée dans mes obscurités internes, au cœur de ce paysage creusois si intact que le temps y paraît immobile et les saisons passer sans rien changer à ces chemins bordés de châtaigniers plus que centenaires. Les châtaignes, que bien peu songent encore à ramasser, y pourrissent en épais tapis et parfois, au milieu d'une maison abandonnée qui s'écroule, derrière un pan de mur à demi répandu en coulée de granit rose et gris, pousse un arbre neuf, jailli à l'endroit même où l'on vivait, mangeait, dormait, s'aimait il y a bien longtemps. Sentiment d'éternité, non-effacement des traces, renouveau qui ne rompt rien, qui se nourrit du passé – ce n'est jamais par hasard qu'on se met à aimer un pays.

Une surprise m'attendait là-bas : non, je n'y serais pas seule pendant ces trois jours. En fait, j'avais tout à fait oublié (?) que mon beau-frère devait précisément à cette date offrir à ses beaux-parents anglais de respirer l'air d'une typique campagne française. Je ravalai ma déception légère de ne pouvoir tout à fait à loisir me rouler dans mes états d'âme et la solitude. J'allais devoir accoucher de mes dernières pages sans manifestation intempestive de douleur. « De la tenue en toutes circonstances... » Décidément, la bonne vieille devise d'Arletty qui s'était imposée à moi

quand j'avais commencé d'écrire s'imposait à nouveau sur la fin – cette fois malgré moi.

Après quelques considérations sur l'herbe verte, les fleurs encore magnifiques en septembre, j'assurai à ces gens charmants que leur présence ne m'incommodait pas le moins du monde, au contraire, et que de toute manière je m'isolerais beaucoup puisque j'étais venue pour travailler. Puis je débarquai mes kilos de papiers et de classeurs, refusai poliment l'aide que l'on me proposait pour porter la chose à l'étage (c'est encore à moi !) et montai à nouveau, chargée de tout mon barda, vers la « chambre d'écriture » que j'avais quittée quelques jours auparavant en pensant ne pas y revenir de sitôt.

Tout était resté tel quel : le tapis sur la table, le stylo, le pot à eau et même, discrètement posé à côté du pied de la lampe, le rouleau de papier WC mauve qui m'avait servi les derniers temps d'inépuisable mouchoir.

J'eus l'impression, si peu de jours après, de pénétrer dans un lieu abandonné depuis longtemps. Toujours cette magie creusoise du temps suspendu... J'écoutai un moment cette qualité si particulière du silence, cette vibration douce et douloureuse à la fois qui mêle passé et présent, abolit la frontière de l'un et l'autre, et songeai comment ce que dégage un pays peut si précisément s'accorder à une recherche d'identité intime.

J'avais quelquefois rêvé – et ceci était demeuré, bien sûr, au niveau du pur fantasme – de rester ici, larguant les amarres citadines et professionnelles pour un temps indéterminé, à plonger sans frein dans la vibration intemporelle, cette frontière entre passé et présent, sans contrainte de retour, jusqu'au jour où je saurais – et ces mots me venaient alors très précisément – si j'en ressortirais régénérée ou perdue.

Chacun, je crois, doit souhaiter et redouter à la fois de rencontrer un jour son propre point limite, de se libérer de ce réseau de circonstances et hasards à demi dirigés au milieu desquels on ne sait jamais, JAMAIS ce qu'il en est vrai-

ment de sa propre initiative, de son propre désir. Toujours plus ou moins mené par la vie, par les autres, par ses peurs. Le rêve d'un espace libre où l'on pourrait enfin se dire « voilà ce que je suis » et peut-être alors ensuite « voilà ce que je désire vraiment », sa part de vérité, quelle qu'elle soit. Régénérée ou perdue, oui... Rêve de voyage dans les brumes de mon père, là-bas, embarquement pour cette contrée floue de l'autre côté du lac où doit exister, où JE SAIS qu'il existe une part essentielle de mon être que je n'arrive pas à connaître sur cette rive. Mais la barque est toujours noyée ou elle n'a pas de rames, il faut travailler, les enfants sont venus, ils ont besoin de vous, et quelqu'un vous parle, mêle sa vie à la vôtre. On joue une pièce, on fait des tartines, des câlins. On ne part pas. On ne peut pas le faire. On ne saura pas. Et c'est tant mieux. Ou tant pis. Alors, pour tenter tout de même de jeter un pont, de tendre vers cette rive-vérité, on fait de la musique, on peint, on prie. Ou bien on écrit...

Je m'épargnerai la description de ces trois jours d'écriture, mais vue de l'extérieur la chose devait être assez cocasse. Après un petit déjeuner commun, les gentils Anglais me virent le premier jour emporter un petit bouquet à l'étage pour fleurir ma table, pleine d'allant. Leurs encouragements joyeux me suivirent dans l'escalier : *« Good work ! – Thank you ! Bye ! »*

Deux heures plus tard, ils me virent redescendre, détruite, dégoulinante de larmes et mouchant tout ce que je pouvais dans mon papier mauve.

Deux paires d'yeux ronds me fixèrent avec un discret ébahissement. Tout en me préparant un café, j'expliquai un peu. Il ne fallait pas s'en faire, ce que j'étais en train d'écrire était simplement un peu dur pour moi. Ils opinèrent de concert, me signifiant ainsi que la chose ne leur avait pas échappé. Et je remontai avec mon café, ragaillardie.

Quand je redescendis à l'heure du déjeuner, c'était encore pire. Tout le monde était déjà à table, les fourchettes restèrent en l'air un temps, je sentis les yeux ronds et le *so british*

ébahissement tandis que je m'asseyais le plus naturellement possible avec mon paquet de papier WC. Je devais ressembler à une grenouille agonisante.

Absolument comme si de rien n'était, on parla beau temps, charme de l'automne, tenue des dahlias en vase. Tout en épongeant de temps en temps une larme retardataire, je plaisantai un peu, ça détend. Mais quand je remontai, ainsi que les jours suivants, aucun encouragement joyeux ne me suivit plus dans l'escalier...

Le troisième jour, un dimanche, je tapai ma dernière page à quinze heures, mon dernier mot. Immédiatement, la tête m'a tourné. J'ai été tout de suite soûle de légèreté, de délivrance.

C'est tout à fait étrange de ressentir aussi nettement, brutalement, que là se situe la fin de l'effort, que l'on a dit pour le moment ce qu'il y avait à dire. Pas un mot de plus. Cela doit s'achever là, aussi nettement qu'un chemin soudain arrêté, qu'un dernier fil coupé. J'ai posé ma joue un moment sur le tapis de la table, ce tapis si doux qui m'avait tenu les avant-bras au chaud quand, appuyée de part et d'autre de la feuille, j'avais attendu des heures que « ça » vienne. Et je m'étais promis, si j'avais à écrire encore, de toujours respecter cette tradition de la nappe sous les bras qui évite le froid de la table. C'est ainsi sans doute que l'on se crée des manies. Mais elles sont utiles, amies.

Puis j'ai rangé posément les papiers dans le sac, fermé la machine, jeté le dernier brouillon. Ça chantait, ça bouillonnait doucement à l'intérieur de ma poitrine. « J'ai fini, j'ai fini. » J'ai rangé le stylo dans son pot, débarrassé la table du bouquet presque fané, mais je laissai en souvenir le rouleau de papier WC sous la lampe. Et, ce faisant, je me fis moi-même sourire.

Je me suis aperçue qu'il faisait un temps magnifique. Je laissai la chambre. Je la laissai, oui. Et j'y laissai aussi toutes ces heures à hurler intérieurement d'approcher l'épicentre d'une douleur si intense qu'avancer seulement vers lui fait souffrir.

Je volai en descendant l'escalier, je volai vers ma voiture pour y ranger mes affaires, je voulais rentrer tout de suite, prendre la route immédiatement. En conduisant vite je pouvais arriver avant le dîner du soir et faire la surprise à Bernard et aux enfants de retour de leur week-end et qui ne m'attendaient pas si tôt.

Mes affaires embarquées je courus sur l'herbe – Dieu ! comme l'air était doux et léger ! – et j'allai voir tour à tour mes compagnons de ces trois jours pour leur dire : « Vous savez, j'ai fini ! » Et je répétai à chacun, incrédule et émerveillée : « J'ai fini, je n'arrive pas à y croire. » Ivre de joie, j'avais la tête qui tournait, je ne pesais rien, soudain délestée du poids de ce que j'avais à livrer, de ces deux ans d'efforts que j'avais craint de ne pouvoir faire aboutir. C'était fait – parti – le dernier lien coupé. J'étais comme un ballon lâché.

Sur le point de m'envoler vers Paris, un détail m'arrêta : tout à ma griserie, j'allais oublier mon chat ! Personne ensuite ne pourrait le ramener. Je ne pouvais pas partir sans lui. Vite, vite, je cherchai dans toute la maison, puis le jardin, employant la ruse habituelle : un bruit de cuillère sur le bord de son assiette pour que la gourmandise le force à sortir de sa cachette s'il avait eu la velléité de se planquer pour échapper au panier. Peine perdue, il était introuvable. Je cherchai, cherchai longtemps, furetant dans tous les coins du jardin, et tout à coup je m'arrêtai – je venais de prendre conscience de l'état dans lequel j'étais. Je me suis vue moi-même courant partout, sautant, butant dans les mottes d'herbe, dérapant sur les talus, riant, chantant, miaulant à tue-tête en tapant comme une dingue sur une écuelle avec une cuillère. J'étais folle, j'étais soûle, j'en ai eu un fou rire, seule, à quatre pattes dans l'herbe, puis je restai couchée là, étalée de tout mon long, buvant le bleu du ciel, la douceur de l'herbe et son odeur. Un doux feu d'artifice d'émotion dans la poitrine, je respirai, je respirai, tout m'était amical. J'avais fini mon livre.

Mais je ne me suis pas relevée. Je suis restée là sans bou-

ger car je venais de me rendre compte qu'il ne fallait pas, surtout pas, que je prenne la route dans un état pareil. Aucun alcootest n'aurait pu mesurer les effets d'un soulagement aussi violent, mais j'étais certaine que c'était pire que si j'avais bu une bouteille entière! Et, tout en pensant cela, la joie gonflait, gonflait encore en moi, j'avais l'impression de flotter sur l'herbe, tirée vers le ciel.

J'ai savouré le luxe de ce moment, puis j'ai songé à la tendre mise en garde du cher et vieil ami dont je parle à la fin du *Voile noir*. Il m'avait dit un jour : « Méfie-toi des moments charnières, sois extrêmement prudente, ils sont dangereux... » Je peux l'écouter, il s'y connaît en deuil et en survie. Et intérieurement je remerciai mon chat de n'avoir pas bougé de là où il était. Je ne bougerais pas non plus. Pas avant que je n'aie dominé cette ivresse, jugulé cette excitation qui m'avait jetée de-ci, de-là dans le jardin en gambadant. Non, elle ne me jetterait pas plus loin, d'aventure, qui sait, dans un fossé...

Je voulais vivre. Je voulais ma famille. Je voulais voir ce livre FAIT. Je voulais éprouver l'APRÈS.

Un peu plus tard, ma belle-sœur me fit un massage au soleil, un de ces massages décontractants si doux qu'habituellement ils me mettent les nerfs en pelote, mais ce jour-là c'était bien. Elle me tira un incroyable, inextinguible soupir et elle dit : « Oh ! Il vient de loin celui-là ! »

Vers six heures du soir, tout à fait calmée, toujours pleine de joie, mais d'une joie contenue en moi, qui ne débordait plus à tort et à travers, je songeai qu'il serait peut-être temps que mon chat réapparaisse.

Un miaulement me surprit au milieu de ma pensée et je le vis sortir d'un buisson, à trois pas de moi, la tête basse encore de sommeil, les yeux mi-clos de tendresse. Je pensai en le caressant que cette bête était géniale. Mais il faut tout de même dire, pour être juste, qu'il réapparut au moment où il a habituellement faim... Je l'ai regardé manger son repas jusqu'au bout, lui laissant le temps de lécher son assiette jusque sur les bords, alors que je l'abrège souvent quand j'ai

hâte de le fourrer dans son panier pour partir. J'avais de la reconnaissance pour lui. J'avais de la reconnaissance pour mon beau-frère, ma belle-sœur, et surtout pour ce délicieux couple anglais qui m'avait aidée à prendre un peu de distance à l'égard de mes émotions. Qui sait si, seule, je ne m'y serais pas noyée sans parvenir à achever ? J'avais de la reconnaissance pour le soleil d'avoir brillé ce week-end-là, pour les fleurs d'être encore belles. De la reconnaissance pour le monde entier – j'avais fini mon livre.

Jamais je n'ai conduit aussi lentement, aussi précautionneusement. Dans la voiture je chantais. Et, entre deux chansons de Fréhel que je beuglais de concert avec elle, je m'interrogeai une dernière fois : avais-je un réel besoin de rendre publiques ces pages si intimes ? N'avais-je pas accompli pour moi-même ce que j'avais à faire ? Ne me sentais-je pas suffisamment délivrée ainsi, la preuve en était cette délicieuse sensation de légèreté qui ne me quittait pas ? De plus, les « autres », découvrant mon histoire, allaient m'en parler encore et encore alors que je souhaiterais sans doute, après deux ans et demi passés à mariner dans mes douleurs, me sortir tout cela de la tête. Pourquoi donc ne pas garder ces pages pour moi ?

Honnêtement, je n'y croyais pas. Je jouais avec l'idée. J'étais comme avant un rendez-vous redouté, en train de me dire : « Et si je n'y allais pas ? Chiche que je n'y vais pas ? » tout en continuant à me préparer pour y aller.

D'abord j'oubliais une chose primordiale : les photos de mon père. Mes pages n'étaient pas seules en cause si je reculais à présent devant une publication. Ce sont ses photos que j'avais voulu exhumer, montrer, c'est à elles que j'avais voulu redonner vie par le regard des autres. Ce sont elles aussi, ne pouvant les présenter telles quelles au public, sans explication, qui m'avaient en quelque sorte montré la voie, amenée à clarifier mes pensées et mes sentiments vis-à-vis de sa mort. Je ne pouvais pas les reléguer à nouveau dans l'ombre. Nous étions à présent liés, elles et moi – lui et moi ? – dans une œuvre commune.

Et qu'en était-il aussi de ce souci, ce désir de transmettre, d'avoir à être claire pour faire partager, qui m'avait soutenue tout au long de ce travail ? Un bon gros sens paysan aussi me dit, pour clore mes tergiversations internes, qu'il serait tout de même immoral de flanquer le résultat de tant d'efforts au fond d'un placard !

Et un embouteillage de deux heures au péage ne m'empêcha pas de continuer de chanter.

Chère,

Chère qui ?

Comment dois-je vous appeler ?

Anny, non je ne vous connais pas.

Madame Duperey, non, je crois vous connaître à travers votre livre…

Écrire est pour moi quelque chose de très rare mais le besoin de vous « parler » est aussi intense que le besoin que vous aviez vous-même de le faire.

Je crois que les personnes qui ont beaucoup souffert se retrouveront dans votre livre et vous envieront. Vous êtes peut-être étonnée que l'on puisse vous envier. Pourquoi ? me direz-vous. C'est très simple, vous osez ouvrir votre cœur.

Vous dites ne rien vous rappeler avant le drame, je peux vous assurer que c'est faux. En réalité tous les souvenirs sont dans votre cœur. Vous ne le réalisez pas mais vous avez plus en mémoire que bien des personnes qui ont eu une enfance sans drame. Ne vous inquiétez donc pas pour le « réveil » – il ne vous fera aucun mal car sans le savoir vous l'avez déjà vécu.

Madame Duperey,
Chère Madame,
Anny,
Chère Anny,
Femme iris.

Je ne sais comment vous nommer, vous que je crois connaître. Quelle est la distance exacte à respecter entre vous et moi ? Depuis et à travers Le Voile noir *je tente le pas, je dépasse la frontière.*

Écrire à vous, vous écrire.

Dans la foule, je m'agite, je vous écris afin que vous m'aperceviez. Je tente de remonter la distance jusqu'à vous.

Et vous dire.

J'ai été touchée.

Je vous ressens. Vous êtes entrée en moi et je vous garde.

Vous et votre histoire.

Votre histoire m'imprègne, elle est là.

Auparavant existait une cassure entre votre image et vos écrits. A présent vous m'apparaissez dans une grande cohérence, forte dans la lumière, indécise dans les ombres.

Mais forte vous serez.

Vos dieux seront là pour vous soutenir.

Vous êtes à mes côtés. Je vous ai reconnue.

Votre portrait intemporel devant moi, je vous ai écrit.

Merci.

Je vous embrasse.

J'ai longtemps tergiversé à vous écrire. Par pudeur, peur de blesser ou déranger, ou d'ennuyer...

Ce qui m'a décidée, c'est l'idée qu'un(e) imbécile ose vous adresser l'ombre d'une critique : cette idée m'est insupportable. Alors à cause de cet hypothétique imbécile, je vous écris, moi, que je vous ai aimée à travers ce livre.

Avec une prétention invraisemblable je vous demande, si par inadvertance le regard des autres vous pèse, de penser au mien qui est plein de chaleur.

Je me suis dit à haute voix « Elle est gonflée, cette nana ! » Mes amis les plus proches se sont vus gratifiés de votre livre avec la mission impérieuse de le lire toutes affaires cessantes. Quant à mon compagnon, je lui ai fait la lecture à haute voix. Mes filles trop jeunes (quelques mois) y ont échappé pour l'instant...

Je ne pense rien d'autre de votre histoire qu'elle est enfin vôtre et j'en suis heureuse pour vous, pour moi qui cours après la mienne avec désormais plus d'énergie, voire un brin d'enthousiasme !

Allez, j'irai jusqu'au bout de mon impertinence en vous embrassant bien fort, car – c'est un scoop – vous faites désormais, assurément et durablement, partie de ma famille.

PS : Cette lettre n'appelle aucune réponse et se trouvera fort bien tout en dessous de la pile...

Votre livre est là, à portée de la main, sur le soleil de la table de cuisine. Sa présence fait partie de ces présences que l'on désire, que l'on cherche, consciemment ou non, de ces présences qui donnent au présent l'épaisseur simple et rêvée d'un moment de plénitude.

Je vous avoue qu'au-delà de la beauté des mots et des photos, je n'arrive pas à comprendre pourquoi ce livre m'a à ce point touchée. Et je me suis retrouvée à la fin de la lecture, comme vous au début de votre livre, devant la feuille blanche, avec au fond la nécessité de venir dire, sans savoir exactement quoi. C'est juste l'envie de témoigner de la qualité d'une émotion, pour que cette émotion-là ne se perde pas, qu'au moins elle vous revienne puisque vous l'avez provoquée.

Il me semble que tous ceux qui liront votre livre vous renverront quelques mots en partage. Peut-être aussi pour apaiser un peu de votre probable inquiétude.

J'ai eu, comme tout le monde, ma part de deuils, et j'ai gardé de mes déchirures la notion d'urgence, urgence de vivre, d'aimer et de dire que l'on aime. C'est peut-être pour cela (grâce à cela ?) que je me permets de venir vous remercier pour ce livre-présence que je vais à la fois offrir et garder tout au fond de moi comme un secret.

Au cinéma, on vous aime bien. Là, on vous aime, vous, et on sait qui on aime.

Et ma lettre se termine décidément comme votre livre : par une déclaration d'amour.

Je vous souhaite une vie douce et belle, longtemps encore.

Nous étions convenus, avec mon complice éditeur, que je lui remettrais mon livre le lendemain matin, chez moi. Le cordon ombilical serait donc coupé à domicile – moins traumatisant peut-être.

Armés d'un double décimètre, nous avions découpé des papiers, comparé, pesé, et le format avait été choisi, tous les détails discutés ensemble. Je signai mon contrat aussi ce matin-là, puisqu'il était resté tacitement entendu que je garderais jusqu'au bout la possibilité de faire machine arrière. J'ai signé, donc, avec la pleine conscience, au moment où j'écrivais mon nom, que se concrétisait par le geste mon acceptation définitive que tout ce qui était encore à moi seule appartienne bientôt à tous.

« Ça va ?

– Ça va. Tu veux du café ?

– Oui, je veux bien. »

On a bu le café, bavardé un peu. Je digérais l'instant.

Puis je pris les deux énormes classeurs, avec toutes les photos dans l'ordre et les textes intercalés, et je les ai mis dans deux grands sacs plastique, les plus grands et les plus solides que j'aie pu trouver dans la maison. Puis je vis cet homme qui m'avait si discrètement suivie dans mes efforts, si pudiquement aidée en ne forçant rien, ployer sous la charge à son tour en s'éloignant dans le long couloir qui mène de ma porte à l'escalier de l'immeuble. Je le regardai partir avec mon trésor. A mi-chemin il s'est arrêté en pestant contre ces saloperies de poignées en plastique qui scient les doigts : « C'est tellement lourd, ce truc ! » On a ri.

« Tu vois, j'aurais dû les laisser dans le sac.

– Mais non, mais non, ça va. »

Puis il a tourné le coin du couloir, disparu dans l'escalier.

J'ai refermé la porte en pensant : « Eh bien, voilà, c'est fait, je leur ai refilé le paquet. »

Une émotion soudaine m'a fauché les jambes. J'ai pleuré un coup, assise au bout de ma table, les mains vides et sans force. J'ai laissé passer un peu de temps comme ça. Puis j'ai commencé à bouger.

Mon livre n'était plus à moi.

Il est toujours triste de savoir qu'on passe à côté de sentiments de chaleur humaine, qu'on ignorera toujours. Pourtant on n'en a jamais trop de l'amour, je pense.

On n'ose pas dire à cause des conventions, de retenues : la peur d'être ridicule, d'importuner.

C'est il y a six ans que j'ai franchi la barrière en recherchant une femme extraordinaire qui avait été mon professeur d'histoire au lycée. Par sa sensibilité, son ouverture au monde, sa finesse culturelle et son intelligence politique, elle avait su me faire prendre (sans le savoir) ma première distance face à une famille sclérosante et avait été le révélateur de ce que je suis devenue petit à petit.

Je parlais toujours d'elle, même après trente ans, si bien que mon ami me dit un jour : « Mais il faut que tu lui dises... » Quelques jours plus tard, timidement au téléphone, je me nommai, m'excusant d'un si lointain souvenir pour elle, sans doute oublié. Et elle me répondant : « Je me souviens très bien de cette classe. Et de vos yeux noirs si souriants... »

Et moi lui parlant, lui parlant. Et elle, si émue, disant : « Je n'aurais jamais cru. On ne sait jamais ce qu'on laisse derrière soi... »

C'est pourquoi j'ose vous écrire maintenant.

Je suis d'accord avec vous : il faut faire pleurer les enfants. On ne m'a pas fait pleurer, on a voulu me protéger. J'ai trouvé autour de moi des complices avec lesquels édifier ce mur dans ma tête.

Je n'ai pas pu me résoudre à vous appeler « madame », car je ne peux pas vous considérer comme une étrangère.

C'est la première fois que j'écris, comme cela, à quelqu'un que je n'ai jamais rencontré. Mais, quand on y pense, je vous ai rencontrée.

Je chemine à vos côtés, et je vous comprends si bien.

Je ne sais pas si je pourrai vous aider à mon tour mais je veux que vous sachiez que vous m'avez aidée à mieux comprendre ce qui se passe en moi, et que rien ne sera plus tout à fait comme avant.

Le lendemain, je commençais à tourner. Un tournage qui s'avéra dès les premiers jours un délice de travail joyeux et d'amitié : un tournage comme un printemps après le dur accouchement du livre, comme une bouffée d'air frais. Jouer une mère formidable avec des copains épatants, c'était la cour de récréation, l'état d'innocence retrouvé par le jeu. En pleine régression infantile, j'avais des fous rires imbéciles et heureux, grisée de légèreté.

Quinze jours plus tard, ce même tournage nous emmena tous au Portugal pour quelques semaines. Mes enfants, à Paris, étaient dorlotés par leur père. Je les avais tous les soirs au téléphone, joyeux, en sécurité, occupés de leurs nouveaux copains de classe, de leur nouvelle maîtresse, ne se plaignant pas trop de mon absence. J'étais tranquille.

Mon livre « livré » était lui aussi dorloté, là-haut, à Paris, bébé d'un autre genre. Des mains expertes le palpaient, épluchaient mes fautes d'orthographe, soignaient la mise en pages. A ce sujet-là aussi j'étais tranquille.

Je ne connaissais pas le Portugal. Je le découvrais, comme on peut découvrir un pays grâce à un tournage, c'est-à-dire mal, un bout par-ci, un bout par-là. Mais c'était un ailleurs que je humais dans la paisible lumière du début octobre, cette lumière ronde, sans ombres violentes, d'un reste d'été apaisé et qui s'accordait parfaitement avec ce que je ressentais.

N'aimant pas le grand hôtel moderne où mes camarades séjournaient, j'avais choisi pour ma part de résider dans une auberge à l'écart de toute agitation, et là, dans une annexe au fond d'un jardin, je disposais d'une chambre rose et blanche, toute petite mais qui donnait de plain-pied sur une grande pelouse plantée de pins et, au bout, la mer. Le lendemain de mon arrivée dans cet endroit, je fus réveillée

Chère Anny,
Vous étiez donc une petite fille adorable, il y a fort à parier que vous deviendrez une vieille dame mélancolique et sereine, et vous devez être une femme chiante, inconsolable et gaie, tellement attachante.
Merci d'avoir désobéi, merci d'être là, capable de dire.
Je vous embrasse.

PS : N'oubliez jamais qu'aucun enfant ne peut jamais être tenu pour responsable de ses parents. Ne pas renverser les rôles.

*

J'ai lu votre livre la nuit, car c'est un livre de nuit, et je pleure.
A quoi bon vous écrire cela, ne vous écrire même que cela ?
Et pourtant il me faut le faire. Merci.

par une très agréable musique. Quelques notes égrenées, puis reprises. Un début de morceau, très joli. Sans nul doute un musicien professionnel répétait, là, tout à côté.

Je passai une tête un peu ébouriffée par la porte-fenêtre et découvris effectivement un homme avec une guitare classique dans les mains, assis devant la chambre voisine.

M'apercevant, il eut, en mettant une main devant sa bouche, une mimique muette d'excuse. Ne sachant qui il était et ne parlant de toute manière pas un mot de portugais, je m'adressai à tout hasard à lui en anglais – qu'il ne se gêne surtout pas, qu'il continue, pour moi c'était parfait ! Il me répliqua avec humour et dans un anglais bien meilleur que le mien que, la chose étant justement loin d'être parfaite pour lui, il allait, avec mon aimable permission, recommencer ce morceau.

« *Okay, please do* », etc.

Puis je rentrai la tête dans ma coquille, c'est-à-dire dans ma chambre, et j'eus droit à un petit déjeuner musical.

Le lendemain matin, puis le suivant encore, gling, gling, réveil en musique. « *Hello, hello, good morning...* », etc. Je raclais le fond de mes modestes connaissances en langue anglaise pour m'extirper quelques phrases, puis j'avais droit à mon concert matinal et privé.

Le quatrième jour, rien. Je passai la tête au-dehors. Plus de musicien. La porte voisine était fermée – adieu, les sarabandes, adieu, *Aranjuez*, il me restait juste le silence et les oiseaux. Bon, tant pis, je pris mon déjeuner avec eux, puis partis pour le tournage. Au passage, l'employé de la réception me tendit un petit paquet que l'on avait laissé pour moi – un compact disc et une feuille de papier avec quelques lignes : « Ravi de vous avoir rencontrée et d'avoir échangé quelques mots avec vous, même en anglais... Bonne route, l'artiste ! » J'avais passé trois jours à m'escrimer à parler anglais à un Français assez facétieux pour ne pas démentir mon erreur.

Ce jour-là, je terminai mon tournage très tôt. Juste une scène à jouer et en début d'après-midi j'étais libre. La lumière

L'émotion ne m'a pas permis, jusqu'ici, de vous écrire. L'émotion et bien plus encore ne me permettent toujours pas de dire ce que je ressens à sa lecture, et je ne sais si je le pourrai un jour. Mais je ne peux laisser le silence avoir raison. Je ne peux ni ne veux me taire. Il fallait que je vous le dise.

*

Chère Anny,

Je referme à l'instant la dernière page de votre livre commencé il y a cinq heures, ce livre qui s'alourdit dans mes mains, et je ne peux plus m'arrêter de pleurer.

Je ne pourrai plus jamais ouvrir ce livre sans une certaine précaution tant votre douleur est devenue mienne.

Je ne sais si je dois vous écrire, si je sais vous écrire et comment vous l'écrire... Mais ces larmes qui ne cessent de couler sont un peu vôtres et un peu miennes. Pour les vôtres, merci, les miennes sont pour vous.

La maison dort. Je monte me coucher. Le silence est intact. Votre livre aussi. Si je pouvais vous embrasser sans vous déranger je le ferais.

était magnifique, chaude et douce. Il faisait bon, encore. Je songeai un moment à emprunter une voiture au tournage pour me promener dans le pays, aller sur une plage plus loin, puis j'y renonçai. Non. Finalement, je n'avais nulle envie, nul besoin de bouger. Je ressentais, à un point culminant, cette paix qui m'était tombée dessus comme une tiède pluie bienfaisante après la fin du livre. Il n'y avait rien de mieux à faire que de profiter de cela, et toute agitation touristique serait superflue. Une amie peintre, quelque temps auparavant, avait prononcé une phrase qui avait trouvé une profonde résonance en moi : « On ne se donne plus le temps d'éprouver... » Je décidai de l'écouter et rentrai tout simplement à mon hôtel.

Là, je pris une chaise, la sortis devant la porte-fenêtre ouverte et m'assis face à la pelouse, face aux pins. Je voyais un peu la mer, juste une ligne dépassant la haie qui bordait le jardin. Et je respirais, j'éprouvais. J'ÉTAIS.

Je m'étonnais aussi... Aucun besoin de bouger, moi qui, d'ordinaire, n'arrête pas. Toujours quelque chose à faire. Et je m'émerveillais de ressentir avec une acuité inhabituelle tout ce qui m'entourait – lumière, odeur des arbres et de l'herbe, douceur de l'air sur la peau. « Acuité » d'ailleurs n'est pas un bon mot en ce qu'il évoque une perception aiguë, alors que ce que je ressentais tenait plutôt de la perception décuplée dans le sens de la paix. Éprouver d'une manière plus forte, plus vivante et sensible, avec l'impression de baigner dans l'univers qui m'entourait mais d'être aussi lui, libre circulation entre ce qui était à l'intérieur de moi et l'extérieur, comme si peau, chair n'étaient d'aucun obstacle à cette communion du dehors et du dedans.

Je restai assise ainsi, sans le moindre besoin de bouger – et je serais tentée de dire dans l'incapacité de bouger si jamais j'avais eu la moindre velléité d'aller contre ce que je ressentais, ce qui aurait été impossible puisque j'étais entièrement dans l'acceptation et l'émerveillement d'éprouver une telle chose. Je restai là, donc, au moins deux heures ou trois heures. Je le sais car la lumière était devenue rasante,

On passe de l'envie de sourire à l'émotion, celle qui fait affleurer les larmes au bord des cils et noue la gorge ; et on aurait envie de pouvoir vous aider, vous aider à faire céder ce barrage qui vous résiste, tout en se disant que ce n'est peut-être pas une si bonne idée, que là aussi il y a peut-être une raison vitale (pour vous) que les choses restent en l'état.

L'autre sujet que je voudrais aborder est le tricot. Le chapitre que vous lui consacrez ne pouvait pas me laisser indifférente ! L'analyse que vous en faites me paraît un peu pessimiste, en tout cas, si je la ramène à ma propre situation. En effet, je vis tout à fait seule depuis 87, mes enfants volant de leurs propres ailes. Je n'ai donc personne près de moi qui pourrait pâtir d'un « Attends que je finisse mon rang ». Je me suis fixé comme règle de ne tricoter que pour des gens que j'aime ou qui, à tout le moins, ne me sont pas indifférents. Savoir que je leur fais plaisir, constater que mon travail leur plaît et leur va est tout à fait gratifiant pour moi. Ce qui me désole, c'est que je suis incapable d'un vrai acte de création : je peux adapter, modifier, mais pas créer au sens propre que je donne à ce mot, et ça, ça m'énerve ! ! ! Mais cela ne m'empêche pas de vous proposer de tricoter pour vous. Il y a dans Modes et Travaux *d'avril (page 71) un grand cardigan jacquard dans lequel je vous imagine bien : qu'en pensez-vous ? Il est réalisé en coton mais on peut très bien le faire en laine.*

orangée, et l'ombre des pins s'était démesurément allongée. L'air doux était plus frais aussi et j'avais pensé avec ennui qu'il allait falloir bientôt que je bouge pour aller mettre un pull.

A force d'éprouver, j'avais fini par visualiser exactement ce que je ressentais, à le visualiser si précisément que je rêvai quelques instants de reprendre la peinture pour tenter de représenter ce que je sentais. Cela tenait de la lumière, de la précision de contours et de l'esprit de Magritte. J'ÉTAIS une sorte de Magritte, oui... Une femme assise, avec un espace ouvert au milieu du corps – une pièce ouverte sur l'extérieur par trois fenêtres, à la hauteur de son estomac.

J'essayai de me représenter ce tableau et je me dis que ce que je ressentais était impossible à rendre, car j'étais partout, j'étais tout à la fois. Certes, je pouvais imaginer l'autoportrait d'une femme au visage calme avec cet espace à l'intérieur d'elle-même. Mais j'étais aussi dans cet espace spacieux et frais et j'étais toute petite dedans. Il avait été clos et sombre longtemps. Cela se sentait. La lumière y pénétrait à présent à flots, mais très douce, irradiante, et elle chassait instantanément le léger froid qui persistait de ce long enfermement. L'air y circulait librement, miraculeusement neuf, et là-dedans, paisible, je respirais par ces ouvertures sur le dehors, je voyais aussi de cet espace le paysage aux ombres longues. Non, décidément, c'était impossible à représenter, il aurait fallu choisir un angle et cela aurait tout faussé...

Un peu plus tard encore, une crainte me vint. Ce merveilleux état allait me quitter. S'évanouir peut-être simplement dès que je bougerais. La simple logique me le disait : on ne rencontre pas grand monde en proie à une aussi magnifique paix intérieure, ça se saurait, ça se verrait... Donc je vivais un état rare et précieux qui allait logiquement s'enfuir. Et si j'allais même l'oublier, ne pas me souvenir d'avoir vécu cela ? Qu'au moins, à défaut de pouvoir le peindre, je puisse garder une trace de ce bienheureux état de grâce. C'est cela, en plus du froid, qui me fit lever – garder une trace : écrire, donc...

Je n'avais pas de cahier sous la main. Tout au soulagement d'être délestée de mon *Voile noir*, je n'avais pas prévu – surtout pas! – d'écrire. Je trouvai un bloc de papier à lettres, cela ferait l'affaire. Je m'accordai un moment avant de tracer quelques mots. Je me « tâtai » intérieurement – tout allait bien, après être rentrée dans la chambre je me sentais toujours également en paix, je pouvais donc bouger sans crainte.

Le meuble-bureau où je comptais noter mes impressions était tout au fond de la pièce, je tournerais le dos à la lumière en écrivant. Au reste, c'était la seule table de l'endroit. Qu'à cela ne tienne, puisque remuer n'entamait en rien ma paix intérieure, j'empoignai le meuble et le traînai avec peine, car il était épouvantablement lourd, à côté de la porte-fenêtre. Raclant la moquette, il y laissa deux grandes traînées écrasées que j'eus toutes les peines du monde à estomper en les frottant avec mes pieds. Puis je notai simplement ceci :

« Je me sens désembuée...

Je sens l'intérieur de moi comme un espace clos qui a enfin été ouvert.

J'en ai un calme étrange, une sérénité, un état de vacance – non pas "vide", mais "vacance", oui – un espace intérieur non encore rempli de nouvelles certitudes, de projets.

Je sens que cet état est précieux, qu'il ne faut pas peupler trop vite cet espace libre.

Je respire, je regarde le paysage, les gens par cette nouvelle ouverture en moi.

Je n'ai qu'une peur, c'est que cet état ne soit fugitif, ne soit qu'une réaction, un état de convalescent de l'après-livre – l'après-livré ?

État fragile et bienheureux, comme le premier matin où l'on se sent tiré d'affaire après une maladie ou une opération, et l'on n'est pressé ni de manger, ni de bouger, ni de parler encore, tout à l'émerveillement de se sentir entier, respirant, sans autre chose à faire que respirer calmement en se disant : "Je vais vivre", et cela est doux.

Anny,

Je viens de finir votre livre et je suis inquiète pour vous. Je crois qu'après l'énorme effort que vous avez fourni pour l'écrire, vous allez ressentir un grand soulagement. Pardonnez-moi, mais je crains qu'il ne soit illusoire. Ne vous laissez pas abuser. Vous avez fait un pas, un grand pas, certes, mais il y a encore beaucoup de chemin à parcourir. Ce n'est pas fini.

Prenez bien soin de vous.

J'ai peur que mon esprit clair et désembué de mes angoisses ne se remplisse trop vite.

Rester vacante ainsi un certain temps, profiter de cette clarté pour être disponible, me garder d'une trop hâtive nouvelle définition de moi-même... »

J'allai de nouveau un moment sur la terrasse, regardai les derniers rayons s'éteindre, le bleu prendre le pas sur le doré, les ombres se teinter de violet. Je ressentais de la gratitude pour ce temps si doux qui m'était donné : je respirai profondément par mes petites fenêtres, là, à la hauteur du plexus. J'étais remplie de confiance envers les lendemains à vivre. Prête à tous les abandons, j'écrivis encore ceci :

« Je pourrais commencer un cahier de notes sur l'après-livre. Un journal personnel non destiné à être publié, pour que j'y sois entièrement libre. Si le bien-fondé de la chose m'apparaît un jour – dans cinq-dix ans ? –, il ne devrait en aucun cas avoir une ligne d'enchaînement artificiellement reconstruite pour créer une logique. La logique, s'il s'en trouve une, devra naître d'elle-même à travers la juxtaposition d'impressions ou de pensées même apparemment contradictoires. Ne pas, surtout pas inverser les notes pour leur donner une progression. Ceci est important, non seulement au niveau de la forme, du respect de la vérité de ce qui est "sorti tel quel", mais aussi comme travail personnel – ne devrais-je pas un jour arriver à ne plus tant m'accrocher à mon sacro-saint équilibre, oublier de suivre ma logique comme un chien, le nez collé sur sa piste, larguer mes vieux repères pour me mettre à progresser ? »

La nuit était tout à fait tombée. J'appelai chez moi, à Paris. Tout allait pour le mieux. Puis je commandai quelque chose à manger dans la chambre. J'étais trop bien, je ne bougerais pas. Les minutes s'écoulaient, amies, ma joie interne rebondissait, légère, de seconde en seconde. Je pensai : « Je suis en train de vivre un des plus beaux jours de ma

vie », un de ces jours dont on dit qu'ils sont à marquer d'une pierre blanche.

Le bloc et le stylo étaient là, à côté de moi, et la tentation d'écrire encore, de tenter de décrire. Je songeai que les mots pour traduire la paix sont plus rares et plus difficiles à trouver, peut-être, que ceux pour dire la douleur... Au lieu de cela me vint, en fulgurance, rapidement jetée sur le papier, une sorte d'auto-mise en garde à propos de l'écriture – auto-mise en garde sans doute inutile car ne suis-je pas en train, en écrivant ces petites choses que vous lisez, de tomber dans le piège que j'entrevoyais ce soir-là ?

« Que l'écriture ne devienne pas maniaque.

Le danger serait, après avoir crevé mon abcès de silence et osé livrer tout cela au public, que je me croie devenue un écrivain à "plein temps", que cela m'autorise à considérer que mes pensées intimes sont publiables. OUT, la pensée pernicieuse que tout ce qui tombera écrit de ta main pourrait être transmis ! Gare, ma fille, avant même que le livre ne soit sorti, gare ! Ce serait une des pires certitudes pour meubler ton esprit vacant. Et méfie-toi à l'avance de tout ce qui va te tomber dessus (car tu sais que tu as écrit un beau livre). La fierté et la satisfaction de la belle ouvrage accomplie pourraient bien peupler ce nouvel espace libre en toi, restreindre ta liberté, te boucher le paysage.

Nul n'est à l'abri des délices de l'autosatisfaction...

Gare !

Ce serait le pire et à coup sûr la fin de ta précieuse vacance. »

Couchée, je n'eus pas envie de lire mes quelques pages habituelles avant de m'endormir. Pas envie non plus de me recroqueviller en chien de fusil comme je le fais toujours. J'ai éteint. J'avais laissé les rideaux ouverts. Besoin de voir ce coin du ciel que j'apercevais de mon lit. Quelques petits nuages très noirs couraient entre les pins sur un fond bleu lunaire. Les draps sur mes jambes me semblaient ce soir-là

d'une exceptionnelle douceur, et aussi l'oreiller sous ma tête. Même les choses se faisaient tendres... « C'est extraordinaire, pensai-je, ce que je sens est extraordinaire. » Et on ne peut plus paisiblement allongée sur le dos, paumes offertes, je laissai le sommeil me cueillir.

J'étais prête. Tout à fait prête à recevoir la foudre qui allait me tomber dessus quelques heures plus tard.

J'ai longtemps caressé « ton » livre avant de me décider à l'acheter. Pas vraiment à l'acheter, d'ailleurs. Plutôt à l'emporter un peu comme on prend un chien sur un coup de cœur, pas raisonnable pour deux sous, à la SPA, parce qu'il vous a atteint quelque part, et que vous ne pouvez pas ne pas.

Je n'en avais pas entendu parler. On m'a dit depuis qu'il était bien classé au hit parade des livres dans le vent.

Moi, je venais juste à Carrefour chercher un plateau pour remplacer celui que j'avais cassé le matin par mégarde chez une amie – et que je n'ai d'ailleurs pas trouvé.

Je n'ai pas lu le titre, pas vu le nom de l'auteur. J'ai vu le sourire, l'avion, et la petite fille que j'aurais voulu être encore – le bonheur.

C'est seulement après que j'ai su que c'était un bonheur brisé. Seulement après que j'ai ouvert le livre.

J'aime la photo. J'ai toujours dit que c'est une manière à moi d'arrêter le temps, de prendre au vol ce que je ne saurais peindre, de voler la beauté, l'instant qui passe, le sourire d'une de mes filles que la mort peut faucher demain, la vie – fragile. J'ai en albums toute la vie de mes filles, depuis le temps où elles allaient chercher le lait à la ferme, avec le pot au bout du bras, encapuchonnées de laine bleue, jusqu'à leur épanouissement de femme amoureuse à leur tour.

Je vous tutoie, et ce n'est pas par familiarité déplacée. Je vous écris et ce n'est pas pour avoir une réponse. Seulement par besoin, jetant comme ils viennent ces mots sur le papier, sans brouillon, sans recul.

Je me moque que vous soyez actrice de cinéma et de théâtre, qu'on vous reconnaisse dans la rue...

Celle que j'ai reconnue, c'est la petite fille heureuse et perdue, avec sa douleur intemporelle, ces photos en sarcophage si longtemps, cette brûlure, ce cri silencieux.

J'ai lu, jusqu'à la page 17 en bas. Et j'ai refermé le livre. Je ne savais pas encore que je t'écrirais. Je savais déjà que j'allais gratter là où ça fait mal. Là où sont enterrés pêle-mêle les lilas, les bourgeons, lilas dont mon père m'apporta un jour un coffre de voiture plein, simplement parce que je les aimais, bourgeons dépliés par ma mère lorsque j'étais malade malgré le printemps et qu'elle les ramenait pour les ouvrir devant mes yeux émerveillés. Je savais que longtemps avait dormi une cassette – « A ma fille » – sans que j'ose écouter la voix qui avait enregistré pour moi un dernier message avant de choisir de se taire. Je savais que longtemps si longtemps j'avais retardé cette souffrance et ce miel – longtemps refusé et le cri muet et les larmes chaudes et ce bouillonnement étouffant, et le souffle coupé, et « il faut que j'arrête sa voix » – déchirure.

C'est idiot, une dame de cinquante ans qui ne se souvient plus de la date de leur mort et qui n'en guérit pas.

Ils n'étaient pas jeunes. Ils ne sont pas morts ensemble. Je les aimais, infiniment – in-fini-ment. J'ai eu le temps de le leur dire.

Le temps pourtant n'apaise rien. Il recouvre simplement – il enfouit – il aide à vivre debout – avec élégance. Parfois le souvenir surgit, et hurle à nouveau.

La douleur me prend au dépourvu, n'importe quand. C'est idiot, quand on a cinquante ans, un mari merveilleux, plein d'enfants, de ne pas guérir d'un amour perdu au profond de l'enfance. Je te le dis, petite sœur du bout du monde – du bout des larmes – du bout du silence pudique. Le temps empile des bouts de gaze sur

une douleur intacte qui sommeille. Il m'arrive d'être cassée en deux par l'odeur des lilas et, boxeur sonné, j'ai du mal à reprendre souffle.

Cela ne m'empêche pas de vivre, de rire, d'être heureuse.

J'ai cessé d'écrire. Il fallait que la tempête se calme. Je suis allée faire des courses.

Mon compagnon depuis trente ans a appris peu à peu mes abîmes, mes attentes et mes silences blessés.

Les miens, ce soir, seront heureux. Je leur aurai donné ce feu de bois, cette chaleur, ce manteau de douceur que j'ai perdu et que nul autre amour, si grand soit-il, n'est à même de remplacer. Cadeau empoisonné. Je me dis parfois que je leur tisse involontairement une souffrance de vide-à-venir.

Voilà, je vais lire ton livre – doucement. Je le refermerai quand ta souffrance me fera trop mal quelque part, au creux des lilas. Rien de ce que je t'ai dit n'a vraiment d'importance. Seulement je ne pouvais pas ne pas le dire, ne pas te l'écrire. Mais ta voix est comme un écho. Tu dis des choses que j'ai parfois écrites pour moi seule. Tu fais des gestes que j'ai faits. Cela fait une drôle d'impression de se découvrir un double, quand on croyait sa souffrance profonde si unique et si intraduisible.

Une nuit, Anny, j'ai vu ma mère vivante. Elle était là, en partance, étirée vers AILLEURS. Cette nuit-là, je me suis réveillée en hurlant parce qu'elle partait – et que je n'arrivais pas à la retenir... parce qu'elle me disait qu'elle « devait partir » – et que je ne pouvais pas l'arrêter...

Voilà, je ne peux pas te dire merci. Ni te souhaiter de trouver le calme.

Il fallait seulement que j'écrive cela. Que je te dise que ta voix a été entendue quelque part – et que cela fait mal et bien à la fois.

Je t'embrasse.

C'est vers deux heures du matin que c'est arrivé. Je le sais car j'ai à un certain moment éprouvé le besoin de regarder l'heure.

Je devrais dire que j'ai fait un rêve mais je n'y arrive pas. Au début, oui, peut-être était-ce de l'ordre du rêve, mais pas après.

Je m'étais donc laissée glisser dans le sommeil, paisible, quand je suis entrée dans les images que je garde dans ma tête du jour de la mort de mes parents. J'étais soudainement dans le film de ce matin-là, dans la maison, mais je bougeais, j'agissais comme ce que je suis maintenant, avec ma taille et mes pensées d'adulte.

Je ne restais pas prostrée dans mon lit, j'en sortais, sans aucune sensation de torpeur, je me dirigeais vers la salle de bains et, sachant déjà ce que j'allais y trouver, j'entrais carrément et je les voyais tous les deux, mon père étendu face contre terre sous le lavabo au fond de la pièce et ma mère assise un peu différemment qu'elle l'avait été dans la réalité, moins avachie sur le bord du bac à douche, le dos et la tête appuyés au mur, inerte, hébétée.

Je ne me suis pas approchée de mon père, j'ai simplement mentalement noté qu'il était là. Je m'en suis occupée plus tard sans doute – je l'espère ! –, mais pour le moment c'est elle qui focalisait toute mon attention, ELLE, ma mère, mon inconnue, mon étrangère au profil fuyant et inexpressif.

Je la voyais, là, de haut, et j'ai pensé : « Tiens, c'est vrai, j'ai grandi... », puis j'ai su, j'ai senti, certitude absolue, que derrière ces yeux fixes, cette apparence de morte, il y avait un esprit parfaitement en éveil qui entendait, percevait, comprenait tout ce qui se passait, mais qu'elle ne pouvait rien faire, qu'elle subissait cette horreur, impuissante, sans pouvoir bouger.

Calme, sans émotion excessive, je comprenais : « Voilà, c'est donc ça. Elle sent, elle sait ce qui lui arrive, elle voudrait agir, parler, mais elle ne peut rien, elle est paralysée. Paralysée, oui... Je vais la tirer de là. » Je me penchais alors vers elle et la prenais par un bras, la soutenant sous l'aisselle, essayant de la tirer vers moi. Son corps s'est plié en avant, sa tête est tombée sur sa poitrine et son profil ressembla alors tout à fait à l'image d'elle que je garde en mémoire : juste un peu de joue visible entre les cheveux qui lui tombaient sur la figure.

Alors se passa une chose très curieuse. Au lieu de m'obstiner à la tirer ou de chercher à la soulever, elle si lourde, je me trouvais tout à coup avec un stylo dans la main. L'avais-je déjà en entrant ? Je ne crois pas, mais tout à coup il était là, entre mes doigts, et, tandis que je la soutenais de mon bras gauche, j'écrivais SUR ELLE, de la main droite, en haut de son dos, juste un peu au-dessous de son épaule. Je voulais écrire « PARALYSÉE » sur ma mère... C'était difficile, le stylo-bille écrivait mal, la peau était trop élastique, ça glissait. Je ne réussis rapidement qu'à tracer « PARA... » au Bic bleu marine, et encore le deuxième A était-il illisible bien que j'aie repassé plusieurs fois sur les traits. Je n'insistai pas. Elle était toujours amorphe et je décidai alors de la prendre à bras-le-corps pour tenter de la sortir de cette salle de bains.

C'est là que c'est arrivé.

Au moment où j'allais la prendre dans mes bras, elle m'a brusquement tendu les siens et j'ai reçu son visage tourné vers moi. Mais ce n'est pas elle, avachie, inerte, qui a soudainement levé les bras et m'a offert son regard. Cette image est sortie d'elle, son visage comme superposé à son profil immobile, une vérité intérieure tout à coup incarnée, une surimpression.

Pendant deux ou trois secondes, j'ai vu le vrai visage de ma mère, vivant, palpable, animé, absolument réel, présent comme dans la vraie vie, et plus encore. Je crois n'avoir jamais perçu aussi fort une présence, un regard. Ce visage ne ressemblait à aucune de ses photos, donc ce n'est pas

J'ai entendu quelqu'un parler de votre livre à la radio.

Je faisais du rangement, du ménage, et je me suis sentie, d'un seul coup, submergée d'émotion, bouleversée.

Je ne suis tout de même pas du genre à me liquéfier comme ça, sur place ! J'étais sûre certaine qu'il y avait pour moi un message dans votre livre…

J'avais sept ans lorsque mon père a décidé d'arrêter de vivre.

JE N'AI ABSOLUMENT RIEN RESSENTI.

JE N'AI POSÉ AUCUNE QUESTION.

J'ai donné l'illusion d'une fille heureuse et sans problème.

Depuis ce jour-là j'ai commencé à perdre la vue.

QUE FALLAIT-IL NE PAS VOIR ?

J'ai tout oublié de mon père.

Puis j'ai laissé s'installer l'indifférence.

J'ai survolé le décès des anciens sans douleur.

J'arrête là... Votre chagrin ne doit pas s'alourdir du mien.

Je travaille avec de très jeunes enfants, je les laisse exprimer leurs angoisses, comme si, interminablement, je voulais corriger l'erreur.

Je vais essayer d'écrire ma peine – pour moi, en tout cas –, il y a tant de temps que j'ai envie de le faire.

Je sens que l'accouchement sera difficile…

Jamais, ou rarement, mes lettres atteignent leur destinataire. Quelque temps plus tard, je les retrouve dans mon sac et elles vont grossir le contenu de la corbeille à papier.

Si vous recevez celle-ci c'est que j'aurai vaincu une

peur : celle de dire à quelqu'un que je suis au-delà des rires et des indifférences.

Fragilement proche de vous.

PS : J'écris mal, j'ai le pouce droit qui devient de plus en plus douloureux – je récalcite !

*

En le refermant, ce livre, je me suis surprise à dire à haute voix – Eh ben dis donc, c'est pas fastoche, ton bouquin, ma cocotte... – et cette phrase m'a tellement étonnée (ce n'est pas tout à fait mon style), elle avait si spontanément jailli de ma bouche, que je l'ai notée, comme ça. Et puis quatre jours après, à 7 h 30 du matin, ce n'est pas mon heure non plus, je me décide et vous écris. Tout est calme, le chat est en boule à mes pieds, et il pleut.

*

C'est bien. Il le fallait, ce livre. Pour vous, pour nous, pour moi.

une image d'elle qui a pu me suggérer cette apparition. C'était elle. Vraiment elle, telle qu'elle avait été, je l'ai reconnue tout de suite. Ma mère. Maman... Elle était un peu plus jeune que lorsqu'elle est morte, les traits plus fins. Elle m'a tendu son visage de vingt-cinq ou vingt-six ans, pas plus. Je distinguais parfaitement le grain de sa peau, ses cils. Ses cheveux étaient un peu mouillés sur les tempes, une petite mèche collée sur le côté gauche de son front. Ses bras vers moi et son regard. Son visage et son regard vivants et éperdus...

Je n'ai jamais vu sur personne une telle expression d'amour et de détresse mêlés, de tendresse et d'impuissance, d'appel désespéré. Je voyais ses lèvres jolies et douces mais tordues par le chagrin, une bouche d'avant sanglot. Et ses yeux... Le plus réel, le plus tangible des regards que j'aie jamais reçus, plus présent et sensible que dans la vie, un regard d'enfant perdue sur le point de pleurer, de gémir de désespoir, et qui m'appelait, suppliant.

Je me suis penchée sur elle, ma pauvre mère-enfant en détresse, je voulais embrasser son visage si vivant, la toucher, ELLE que je voyais enfin et qui m'offrait l'image d'une douleur et d'une impuissance incommensurables. Je l'aimais, ma perdue, je lui tendais les bras aussi, j'allais la prendre, l'emporter. Mais, m'approchant d'elle, ses traits perdirent de leur netteté et, au moment où mes lèvres allaient toucher sa peau, son apparition fit comme un petit bond vers moi et son visage se fondit dans le mien. Ce fut très doux. Pas de sensation d'un véritable contact physique mais un éblouissement tiède, une suavitude absorbée par mon propre visage. Mais ce fut aussi tellement soudain et inattendu que je sursautai dans mon lit, instantanément réveillée.

Mon premier réflexe fut d'allumer la lampe et de regarder autour de moi, en fait je ne sais pourquoi. Cette apparition donnait une si totale impression de réalité, de vie, pensais-je la trouver là, à mes côtés ?

En tout cas, ayant reconnu le vide de ma chambre d'hô-

Votre livre, je ne l'ai pas cherché, c'est plutôt lui qui m'a trouvé.

*

Aujourd'hui, dimanche, encore les yeux rouges…

J'ai toujours, je pense, ressenti la mort de mon père (j'avais 8 mois) comme un abandon. C'était la guerre, il avait 25 ans, il était dans le maquis. Et moi alors ?

Je me débats à chaque coin de vie avec cette absence sournoise, cette rancœur, cette souffrance.

Courage. Nous ne nous en sortirons sans doute jamais tout à fait, mais il est doux de penser qu'au travers de Paris, par-dessus le canal Saint-Martin, voguant vers Montparnasse, nos pensées vont se rejoindre un instant.

Vous n'êtes pas seule. Je ne suis pas seule. J'ai quelque part une sœur en « regrets éternels ».

*

En terminant votre livre, je pensais à cette phrase de Goethe : « Pousse hardiment la porte devant laquelle tous cherchent à s'esquiver. »

Je vous remercie, Anny, et vous embrasse.

tel, j'éteignis rapidement – vite, vite, faire le noir de nouveau et fermer les yeux. Elle allait revenir. C'est dans le noir et les yeux fermés que j'allais la revoir...

J'essayais de toutes mes forces, bien sûr. Je voulais éperdument que me reviennent son visage vivant, sa peau, ses lèvres, que je regarde encore, que je touche enfin ma mère, ma maman chaude et aimante disparue depuis trente-huit ans, même de mes souvenirs.

Je la voulais. Je la voulais.

Elle ne revenait pas.

Alors j'essayai de reconstituer son apparition, de retrouver ses bras tendus, sa peau, sa bouche, son regard déchirant. Ses cheveux, ses bras déjà s'étaient estompés, ne restait que son regard – amour, douleur, supplication. Je ne peux pas vraiment décrire ce qui a suivi sans risquer de tomber dans un écœurant pathos, mais, comprenant que je ne la reverrais pas, qu'elle ne m'était apparue vivante que pour cruellement disparaître à nouveau, j'eus une crise de souffrance et de désespoir aussi forte et peut-être plus forte encore que ce que j'avais éprouvé, enfant, le matin de leur mort, quand je hoquetais, sans voix, sans force, après les avoir trouvés, car maintenant je savais que c'était irrémédiable alors que j'en pouvais encore douter à l'époque, me battre contre l'événement avec toutes mes armes d'enfant. Je ne connaissais pas la fin de l'histoire. Cette nuit-là, je n'avais aucune arme, aucune défense contre un tel choc. Je l'avais vue vivante à nouveau, tout contre moi, et elle était partie. Elle n'était plus, je ne la toucherais plus, jamais... Je crois avoir crié, hurlé de chagrin dans cette chambre d'hôtel, j'appelais : « Maman ! », je me suis débattue, noyée dans la souffrance, sortaient de moi des gémissements venus du ventre, une plainte inconnue. Je n'ai jamais pleuré ainsi, sauf peut-être quand j'étais bébé ou tout jeune enfant, quand ils étaient encore là.

Au comble du désespoir et de la faim d'ELLE, je me souviens d'avoir embrassé mon propre bras pour tenter d'imaginer ce que serait le contact de sa peau sur mes lèvres. Sa

J'ai fermé votre livre, mais il vivra encore longtemps en moi, c'est maintenant un ami, un soutien, souvent je lui rendrai visite. Votre histoire n'est pas la mienne, mais elle est toutes les histoires d'amour perdu ou mal compris.

*

Merci pour tout, pour les images bien sûr, pour les chats sur les tables acceptés, pour le tricot partagé, pour les larmes libérées. Merci, pour votre livre que je déplace de table en lit, qui me tient compagnie, qui est arrivé à point pour m'aider à ne pas laisser se bétonner le chagrin chez une trop courageuse petite orpheline amie, de dix ans.

Merci d'avoir réussi à faire part.

Voilà, je voulais vous dire cela, je n'avais jamais éprouvé ce besoin obligé de le faire après la lecture d'aucun livre.

Je pense qu'il va tisser autour de vous une grande tapisserie amicale pour laquelle je vous envoie ma très affectueuse et amicale participation.

peau, son corps qui fit le mien et mes bras autour du vide...

Je plongeais, je plongeais. Parfois je refaisais surface, reconnaissais l'hôtel, reprenais conscience du temps, me souciais une seconde de ce que pouvaient entendre les gens de la chambre voisine. Puis je revoyais son regard, son amour, sa douleur à elle, et je sombrais à nouveau dans le manque.

Plus tard, je me suis jetée sur le bloc de papier dont j'avais noirci deux pages dans l'après-midi. Je voulais la décrire, garder une trace. J'essayais de trouver les mots pour peindre la petite mèche collée sur son front, le grain de sa peau un peu grasse, comment était sa bouche. Mais ma main tremblait. J'étais dégoulinante de larmes et de sueur et tous les mots étaient annihilés par le souvenir de son regard pathétique. Je garde de cette nuit-là une poignée de pages quasi illisibles où j'ai écrit des dizaines de fois : « Je l'ai vue, elle vivante, vraiment ELLE, maman », etc.

Puis le froid m'est tombé dessus, dedans. Ça m'a prise d'un coup. Je claquais des dents tout en pleurant encore. J'ai dû, je me le rappelle, me tenir au mur pour aller aux toilettes tant j'avais les jambes sans forces.

L'aube pointait, j'ai regagné mon lit, secouée de tremblements, le froid dans les os, et j'ai empilé sur moi par-dessus la couverture tout ce que j'ai pu : robes, pulls, écharpes, en serrant le tout autour de mon corps et au-dessus des épaules pour que l'air ne rentre pas. Rien n'y faisait, j'avais la glace au cœur, sous la peau. Je suis restée là, avec elle, à essayer de revoir son visage, encore et encore. J'ai tout de même sommeillé quelque temps, je crois.

Ce matin-là, toute l'équipe du tournage, et moi aussi donc, devait quitter cette petite ville de la côte portugaise pour continuer à tourner vers Lisbonne. Une journée de voyage, donc, et le lendemain c'était dimanche.

En y repensant, je trouve incroyable que cette apparition

ait eu lieu précisément cette nuit précédant deux jours libres pour moi, car il est certain que dans le cas contraire j'aurais été incapable de tourner, tout au moins correctement. Quelqu'un m'a dit un jour que je devais être pourvue d'un inconscient admirablement organisé. Certes, je le crois! Sur le moment j'ai pensé que c'était ELLE, bien sûr, qui avait choisi ce moment. Je n'oserais dire que je n'y crois plus...

Au matin, en attendant la voiture qui devait venir me chercher, j'ai repris le bloc pour écrire de nouveau. Je voulais noter le nom de l'hôtel, de la ville, fixer noir sur blanc, inscrire la date, l'heure approximative où elle était venue me tendre les bras. J'écrivis : « Je veux me souvenir toujours que ce fut là, ce jour-là... »

Depuis j'ai compris une chose à laquelle je n'avais jamais vraiment prêté attention : j'oublie toutes les dates et je n'en note aucune. Après celle de la mort de mes parents, que j'avais bien sûr gommée de ma mémoire, aucune autre ne se gravait en moi, ni anniversaires, ni dates de rencontres, ni années importantes où j'avais joué telle pièce ou telle autre. J'excepte, bien sûr, les jours de naissance de mes enfants, dates importantes entre toutes dont je me souviens, mais encore l'état civil s'est-il chargé de les écrire pour moi, bien officiellement, sans que j'en fasse l'effort. Ma tante qui m'a élevée et à qui j'ai fidèlement écrit pendant des années se plaignait d'avoir de moi une montagne de lettres qu'elle ne pouvait situer dans le temps. Elle avait fini par les dater elle-même. Moi, ça ne me venait pas à l'esprit.

En fait, il n'y avait rien de *marquant*, rien à marquer dans ce long ruban de temps à vivre entre le jour où ils avaient disparu et celui où je les rejoindrais. Rien à inscrire pour mémoire...

J'ai commencé à reprendre pied, reprendre date dans mon temps jusque-là sans véritables repères. Et je commençai ce livre par une première date-mémorial pour moi, comme si c'était important de poser cela avant tout : « J'ai fini d'écrire *Le Voile noir* le 15 septembre 1991. »

Comme j'éprouvais en ce matin portugais le besoin entièrement nouveau de tracer presque solennellement ces mots : « Je veux me souvenir toujours que ma mère m'est apparue à Cascais, dans une chambre rose et blanche qui donnait sur un jardin planté de pins dans l'Alberga S^ra^ da Guia, dans la nuit du 4 au 5 octobre 1991 vers deux heures du matin... »

Et maintenant, c'est non seulement écrit mais imprimé.

Je pleurai pendant deux jours sans discontinuer après avoir vu le visage de ma mère. Il continuait à s'estomper dans les détails, il perdait de sa présence, de sa chair que j'aurais tant voulu sentir, embrasser, il devenait un souvenir et je ne supportais pas cela. Seuls son regard, sa douleur continuaient à me transpercer avec la même intensité que lorsqu'elle m'était apparue. Je ne cherchais même pas – pas encore – à interpréter son regard, je le subissais, le buvais, sans même avoir à fermer les yeux pour cela. Il était là, en moi.

Le lendemain, arrivée à Lisbonne avec tous les gens du tournage, j'allai déjeuner en leur compagnie malgré mon état lamentable. Incapable de réprimer ce flot émotionnel qui me faisait pleurer sans arrêt, j'aurais dû les fuir, me terrer discrètement dans ma chambre d'hôtel, mais j'étais paniquée à l'idée de me retrouver seule, en danger de noyade dans son regard qui me criait : « Je t'aime ! Je souffre ! Aide-moi ! Prends-moi ! Pardon ! », ce regard d'enfant perdue qui me déchirait. Alors je les ai suivis dans un de ces restaurants des pays du soleil où les gens mangent, et ensuite discutent des heures dans de tristes – mais fraîches – arrière-salles éclairées au néon quand il fait un temps magnifique dehors.

Sans trop préciser, j'avais dit à mes compagnons que, contrairement à ce que je laissais paraître, il ne m'était rien arrivé de vraiment grave – comment faire comprendre sans avoir à m'expliquer longuement, raconter ma vie, qu'un rêve, une simple image qui n'a pas de réelle existence puisse causer un choc aux effets si durables ? – et, mes paupières tuméfiées cachées derrière des lunettes noires, je continuais à dégouliner dans mes calamars frits. Je ne pouvais vraiment pas m'arrêter de pleurer. J'étais endolorie au-dedans, au-dehors, le rêche de la nappe, un verre heurté, la douceur

Aujourd'hui je vous écris, parce que vous dites votre doute sur l'utilité, la nécessité de ces pages. Eh bien, moi, elles m'ont soulagée, apaisée et même peut-être consolée.

Évidemment, je suis, je fus aussi une jeune orpheline avec un autre drame, une autre histoire que la vôtre. Mais retrouver écrit là, et imprimé, ce que l'on éprouve et qu'on ne dit jamais vraiment, quelle douceur…

Savoir enfin que je ne suis pas un monstre et qu'apparemment c'est comme ça que ça se passe quand on n'a pas d'autre choix que d'incarner ses morts.

Je vous donne mon nom non pas pour que vous me répondiez, mais juste pour que ma lettre ne soit pas anonyme.

*

Quelles que soient les circonstances, on a toujours tendance à s'accuser de l'irrémédiable.

d'un vin me faisaient mal. Le fait même d'avoir faim malgré tout déclenchait mes larmes.

Vers la fin du repas, un des techniciens du film, mon voisin de droite dans une de ces grandes tablées où la discussion générale peut offrir paradoxalement un isolement, une possibilité de conversation intime au milieu du brouhaha des voix, me questionna gentiment sur ce qui m'arrivait.

C'était un homme doux, chaleureux, il aurait pu à quelques années près être mon père, il aimait la lumière, la photo, cela me fit du bien de me confier un peu à lui.

Pour lui expliquer le traumatisme que m'avait causé la vision du visage de ma mère, je lui dis, bien sûr, la mort des parents, mon amnésie, puis aussi l'écriture du livre que je venais d'achever. *Le Voile noir*, en pleine fabrication, n'étant pas sorti, c'était très difficile de décrire ce que j'avais tenté de faire, partager ce long cheminement qui m'avait amenée à enfin mettre au jour, dire au monde la blessure enfouie et intacte. Et comment on l'ignore superbement pendant les dix ans qui suivent l'événement, comment on met dix ans encore à ne plus l'ignorer, et dix autres années pour se rendre à l'évidence, prendre le stylo et se retrouver devant le cahier blanc avec le besoin encore incertain mais nu de parler, de livrer. Et se trouver devant la page, avec le sentiment d'accomplir un geste différé depuis plus de trente ans, acceptant que sourde enfin une lame de fond, des tréfonds de l'enfance et se rendre compte qu'entre l'adulte assise à sa table et l'adolescente qu'elle avait été et qui écrivait à douze ans dans son cahier intime : « Il faudra un jour que j'écrive MON livre... », il n'y avait pas de différence, ou si peu... Et rester stupéfaite et démunie, désolée aussi en reconnaissant cette continuité parfaite entre le geste de la fillette qui traçait ces mots et celui de la femme qui commence à écrire, comme si amours, réussite professionnelle, rencontre d'un compagnon, naissance de deux enfants, comme si trente ans de vie enfin n'avaient été qu'un pont entre la fillette et la femme courbées sur leur secret à dire et qu'aucun événement, si important soit-il, n'avait pu modifier cette histoire

Au moment où, après l'accident, votre famille se rassemble dans la maison de votre grand-mère, vous dites : « J'opposais l'image d'une enfant monstrueusement étrangère à l'affliction générale... » Ce n'est pas vrai.

Je crois que les adultes pensent à eux-mêmes aussi en pensant à la mort. Les enfants, non. Mourir n'est pas un mot d'enfant. Vous dites : « Leur chagrin, je ne pouvais pas le partager. » C'est vrai.

Je me souviens que, lorsqu'on est venu annoncer à mes parents la disparition de mon frère, j'ai fui tous ces gens qui pleuraient et me suis réfugiée près de notre chien attaché près du puits. Je lui ai dit : « Jean est mort » et comme il avait le nez qui coulait j'ai cru que, lui aussi, pleurait et je le lui ai essuyé avec mon mouchoir, mais moi, je n'ai pas pleuré.

Vous parlez de « faute d'oubli », certainement pas. Finalement je crois que vous vous posez trop de questions... surtout lorsque vous dites : « Suis-je coupable de ces morts ? » Alors : non et non. Moi aussi j'ai des questions qui m'obsèdent, et vous avoir lue m'a fait du bien.

J'ai un fils âgé de quarante ans. Pendant bien des années, au cours de son enfance, j'ai souhaité ne pas mourir avant qu'il soit devenu adulte, j'avais tant peur qu'il ne se souvienne pas de moi...

entre elle et elle, elle et EUX, elle et son regret jalousement gardé noué au plus profond, rien ni personne la détourner de son projet programmé intérieurement depuis l'âge de douze ans. C'est cela que j'essayai d'expliquer quand cet homme me demanda combien de temps m'avait pris l'écriture de mon livre.

Il me regarda un moment. Puis, très doucement, comme une tranquille constatation, presque avec tendresse, il prononça ces mots : « Mais... c'est monstrueux. »

Après une seconde de surprise immédiatement suivie de mon adhésion totale à son jugement, je lui répondis qu'il avait raison. Je me souviens de mon accord spontané, intérieurement presque enthousiaste d'avoir rencontré quelqu'un qui avait défini si rapidement, si clairement, d'une manière si doucement fulgurante ce que j'avais vécu en silence.

« Oui, lui dis-je, tu as trouvé le mot juste : c'est monstrueux. »

Il n'y avait pas grand-chose à ajouter, et je sentis mon interlocuteur très subtilement s'éloigner de moi. Un recul intérieur que je perçus immédiatement bien qu'il restât charmant, échangeant encore quelques phrases avec moi avant de se tourner vers sa voisine de droite. Je ressentais physiquement la distance mentale qu'il avait prise vis-à-vis de moi. Il avait touché quelque chose qui l'avait effrayé et, peut-être dans une certaine mesure, répugné. Et j'étais sûre que, si je lui avais proposé sur le moment de lire mon livre, il aurait refusé d'instinct, dans la logique de son mouvement.

Je le voyais se rafraîchir en parlant de choses et d'autres avec des gens « normaux ». Moi, je continuais vaguement à dégouliner, le visage de ma mère dans la tête, et je réfléchissais à sa réaction. Loin d'être choquée ou blessée, j'éprouvais une sorte de gratitude envers celui qui avait prononcé ce mot apparemment impitoyable. Je l'acceptais profondément, calmement.

Oui, c'est vrai, c'est monstrueux.

Par ce livre, vous aviez souhaité parler à vos lecteurs, aussi avais-je le sentiment de vous « devoir » une réponse.

La première chose, c'est que tout au long de cette lecture, dès la première page, je ressens une irrésistible envie de vous tutoyer. Cela ne m'est pas habituel. J'aime le vouvoiement, surtout envers les personnes qui me « parlent » particulièrement. Aussi, ce besoin absolu de vous dire « tu » et qui m'a reprise à la relecture du livre, m'a-t-il étonnée.

La deuxième chose à dire est plus difficile et je ne voudrais pas que vous le preniez en mauvaise part.

J'ai tout compris. J'ai compris, entendu, senti, chaque mot, chaque phrase. Cela vous paraît étrange et j'en fus la première stupéfaite. Je n'ai rien vécu de semblable et je ne savais rien avant de vous lire. Mais rien, absolument rien ne m'a surprise, étonnée ou choquée. Je vous ai reconnue comme si je vous connaissais parfaitement.

Cela, hélas, ne change probablement rien à votre solitude. J'avais besoin que vous sachiez cela. Je ne dis pas que je vous connais. Je dis seulement que je vous ai reconnue et comprise. Il y a une part de votre humanité qui vient vers moi depuis longtemps, une part de vous-même et c'est peut-être une façon de vous la rendre que de vous écrire. Je le voudrais. Car il faut prendre aussi et se payer, ce faisant, de ce que l'on donne.

Je veux dire que du début à la fin c'est monstrueux. Qu'ils soient morts tous les deux ce matin-là est monstrueux, les trouver ainsi à huit ans, avoir fait une pareille réaction de refus et vécu ou tenté de vivre normalement avec cette monstruosité au fond du cœur, c'est monstrueux.

Incontestablement.

Oui. J'accepte.

Qu'y faire, sauf ce que j'ai fait? Percer l'abcès de silence après l'avoir reconnu, réfléchir, livrer? Que peut engendrer la monstruosité d'un événement sinon une réaction monstrueuse?

Je ne sais pas.

Là réside la vraie question que je me pose sur moi-même. Faut-il receler déjà une part naturelle de monstruosité pour faire une réaction, un déni d'une telle violence, se montrer si forte apparemment et rebelle à la douleur que les autres, pendant longtemps, ne peuvent que vous taxer d'insensibilité? Quelle nature de brute, de monstre faut-il avoir pour garder ainsi au fond de soi un regret cadenassé, un regret-rempart contre tout abandon véritable, tout sentiment de perte, et s'en faire une force? Et vivre avec cela, ce secret, ce trésor, cette monstruosité entre soi et les autres, toujours, plus fort qu'eux...

Ce jour-là je n'eus pas la force d'aller plus loin. Je rentrai à mon hôtel, épuisée, et je continuai à pleurer sur le visage de ma mère, son regard. Je luttais contre la fuite de ses traits, je la retenais désespérément, ELLE, si douloureuse, si suppliante. Mon enfant perdue...

Ce n'est que quelques jours plus tard que je repris mon bloc pour broder sur le thème de la monstruosité, et je me gratifiai d'une féroce autocritique, la plus féroce, je crois, qui puisse m'être faite:

« Je me demande si mon adhésion immédiate au fait que ce que je porte en moi soit monstrueux ne met pas au jour une autre conscience...

A savoir que ce que j'ai fait en écrivant mon livre, avec

Vous prendrez de cette lettre ce qui vous convient, et s'il vous plaît, vous oublierez le reste.

Je trouve incroyable de n'avoir jamais rien deviné de ce que vous étiez en train de vivre : je vous voyais, je vous « suivais » (avec plaisir, j'en profite pour vous le dire au passage) et je n'ai jamais rien compris...

Vous avez bien fait de « nous » écrire au sujet de ce drame. Il est assez clair que ce besoin de le faire connaître est un besoin de reconnaissance, dans tous les sens du terme, et c'est exactement cela : je vous suis reconnaissante de « me » l'avoir confié, et vous savez maintenant que le public vous re-connaîtra, engendrée par cet événement-là.

PS : Je n'ai pas dit la moitié de ce qu'il fallait, mais si j'attends, vous ne recevrez pas cette lettre...

mon habileté, ma logique, mon intuition, mon autocritique si honnête, mon écriture souple comme une porte ouverte à ceux qui vont me lire – venez, vous verrez, aucun effort à faire... – mon émotion même et ma distance d'humour léger comme un moelleux tapis qu'ils peuvent fouler sans crainte – c'est facile, plaisant, vous pouvez vous rouler dedans, vous êtes comme chez vous – avec ma souffrance réelle aussi, mais tenue comme un animal savant, une symphonie sans discordance, un plat soigneusement assaisonné, que la manière dont j'ai écrit *Le Voile noir*, enfin, ne soit en réalité (aussi ?) une fantastique tentative de séduction pour cacher la monstruosité qui m'habite.

Tout en étant sincère, bien sûr, ça n'empêche pas.

Ça ne marche pas, d'ailleurs, si ce n'est pas sincère...

Mais la sincérité n'empêche pas la monstruosité d'ÊTRE. Allez, n'hésite pas, va un peu plus loin, ma fille ! Je m'étonnais qu'il fût si précis dans mon esprit déjà à douze ou treize ans que le silence en moi ne serait brisé que pour un livre. Incontestablement un LIVRE, cette chose que l'on concocte seul dans son coin avant de la présenter au monde.

Nulle part je ne fais la moindre allusion à une confidence, un soulagement possible par une parole DIRECTE à un proche ou à un être hypothétique, même idéalisé, un être que j'aimerais et en qui j'aurais assez confiance pour rêver de me libérer un jour de ce poids avec lui, par lui.

Et je n'ai jamais ouvert la bouche...

En qui n'avais-je pas confiance pour ce faire ? En mes proches ? En L'AUTRE qui allait croiser ma route et à qui d'ores et déjà je n'accordais pas cette confiance ? Ou en moi ?

Ou en moi, monstrueuse ?

Ne savais-je pas déjà à douze ans, et déjà habile en écriture, que la parole soigneusement choisie, élaborée et CONTRÔLÉE serait le seul moyen pour moi de séduire pour cacher la monstruosité qu'il y a sous mes émotions sincères ?

D'ailleurs, quand je pense à ce que j'ai écrit, tout ça est trop bien fait, trop bien organisé pour être honnête.

En refermant ce livre, j'ai ressenti comme un apaisement. Est-ce le réconfort de ne plus me sentir seule à éprouver ces sensations ? Jusqu'à présent je n'ai jamais pu les partager vraiment avec quelqu'un.

Je ne sais toujours pas où j'en suis avec la mort, mais je viens de faire un pas.

Une dernière chose.

Vous ne perdrez pas votre force en laissant s'émousser votre douleur.

Ce n'est pas une simple conviction, c'est une certitude.

J'ai même trouvé des "chutes" comme dans les scènes de boulevard.

C'est monstrueux...

Je vais les séduire aux larmes. Et avant même que mon livre ne soit sur la place publique – mon si beau, mon trop beau livre – je ris et me désole intérieurement que mon entreprise de mise à nu ne soit encore un masque patiemment sécrété depuis trois ans, trente ans.

Un masque peut en cacher un autre...

Il faudra bien un jour que j'arrive à les baisser tous et tant pis si d'ici là j'ai découvert que je suis un vrai monstre. »

Puis, quelques instants plus tard, je tempérai cette crise de culpabilité et d'autodénigrement (ou de lucidité ?) par une lueur d'espoir :

« Est-ce que je cherche à me faire du mal ?

Est-ce que je cherche à payer ?

Je repense à mon adhésion immédiate, presque ENTHOUSIASTE, ai-je dit à l'écoute de ce mot si dur, comme si cela me faisait plaisir, comme si je me soufflais à moi-même intérieurement un "enfin !".

C'est curieux.

J'aimerais bien qu'un regard vrai, qu'un regard juste perce un jour tous mes masques et me voie dans ma vérité, même si cette vérité comporte une part de monstruosité et que, m'ayant vue telle que je suis, il m'accepte et m'aime.

Je pourrais dire alors : "Enfin !" »

J'ai encaissé votre livre comme on encaisse un coup. J'en étais groggy.

Moi, j'ai perdu mes parents quand j'avais cinq ans.

Comme vous, sur de nombreux plans, je vais plutôt bien malgré/avec/grâce à cette blessure. Je suis devenu psychiatre, j'ai plaisir à mon métier, j'ai des enfants dont je me sens très proche et qui me le rendent magnifiquement, des amis, etc. La mort de mes parents est toujours en filigrane derrière tout ça, plus ou moins pseudo-maîtrisée, dicible à autrui mais au fond inexprimable.

Et soudain votre livre fait sauter un verrou que je n'avais simplement jamais perçu : entendre, par vos mots, que quelqu'un d'autre que moi a vécu ces émotions-là, me re-connaître, vibrer en accordage à des sentiments que jusqu'ici, sans me l'être expressément dit, je croyais être le seul à avoir ressentis. Le seul – donc un monstre.

Votre livre, au fond, me rend une identité commune.

Cette expérience de communion, je l'ai eue pour la première fois grâce à vous. Je ne sais pas où ce bouleversement me conduira, mais je sais qu'il me sera bénéfique.

« Faites pleurer les enfants », dites-vous. Ce n'est pas mes enfants que j'ai fait pleurer, c'est eux, un peu déboussolés, qui voyaient mes larmes, et qui ont d'abord essayé de me faire rire avant de me laisser seul avec vos paroles.

Quand ils furent sortis, j'ai été secoué d'un énorme sanglot. Je crois que c'était le substitut du sanglot impossible, du seul sanglot qui pourrait me consoler, le sanglot que j'aimerais avoir dans les bras de ma mère pour me consoler de sa propre mort.

Merci madame d'avoir écrit votre livre. Si je vous écris moi-même, et je dois dire que je m'en étonne, c'est qu'il m'a fait penser à moi.

Mon père est mort j'avais dix ans.

Ma mère me l'a annoncé et je n'ai pas pleuré. Je n'ai plus jamais pleuré jusqu'à aujourd'hui si ce n'est sur le sort des autres.

Mon père ressemblait terriblement au vôtre.

Je n'ai plus jamais pleuré et cela me choque, à tel point que j'ai feint les pleurs. Dans une dispute amoureuse. Il y a quelques années de cela.

Je crois que j'y suis même arrivé à peu près correctement, que mes yeux se sont humectés, mais, je m'en souviens, je me suis dit – là quand même, si tu éprouves réellement cette situation, si tu sens quelque chose, manifeste-le. Pleure.

Je suis incapable de pleurer – sur moi.

Je ne suis jamais allé sur la tombe de mon père.

Je me souviens très précisément d'un questionnement qui habitait, ou peut-être, a quelquefois habité mes nuits avant que je m'endorme. Je n'arrivais pas à décider et à prouver l'existence d'une – âme ? – de sentiments – de vie –, je ne sais quel est le mot adéquat, chez tous ceux qui m'entouraient. Cette rêverie s'achevait sur cette question. Suis-je seul au milieu d'eux, ou pas ?

Ce souvenir me laisse deviner un abîme qui se révèle à chaque fois que je suis impliqué dans un événement douloureux.

J'en arrive, par inadvertance, à être odieux.

Ma femme me dit d'une insensibilité monstrueuse et je pleure au cinéma.

Voilà.

Merci de m'avoir donné l'occasion de l'écrire, certain ceci dit que rien n'est changé puisque même vous écrire est pour moi une coquetterie, l'idée de faire une chose inattendue, de rompre l'enchaînement.

J'ai commencé cette lettre pour vous remercier d'avoir écrit quelque chose que finalement je pense ne pas connaître. Cette boule, je ne sais pas où elle s'est nichée. Ce n'est peut-être que de l'insensibilité.

Des monstres, il y en a d'autres.

Mais puisque paraît-il même les tortionnaires pleurent sur leur maman, qu'est-ce qu'un monstre d'insensibilité ?

Je suis sûr que la mort de mon père n'y est pour rien. Cela n'a effectivement rien à voir de perdre tout et de perdre la moitié. Qu'est-ce que l'insensibilité ?

Je ne le saurai sans doute jamais n'étant ni psychologiquement perturbé ni moralement par terre.

Qu'est-ce qui me fait pleurer au cinéma ?

Choses simples, évidentes. En un mot quasiment de la sensiblerie.

Pourquoi n'avez-vous pas écrit que votre mère a fait de belles photos alors que vous l'avez montré ?

Ce n'est qu'une question, comme ça.

Après l'avoir écrite je me rends compte que je n'y accorde pas réellement d'importance.

Le surlendemain de l'apparition de ma mère – j'avais pleuré un jour, deux nuits –, je m'éveillai le dimanche après quelques heures de sommeil avec le sentiment d'être rompue, poisseuse et surtout faible, faible à ne pouvoir bouger un bras ou une jambe.

Allongée dans ma chambre à Lisbonne, j'écoutais le brouhaha paisible des gens qui bavardaient, buvaient des thés dans la cour-jardin de l'hôtel, qui était juste sous mes fenêtres. J'écoutais le contraste entre eux et moi. Eux vivants et légers, moi seule, lourde et sale de larmes séchées et de sueur qui perlait sans arrêt depuis deux jours alors que je ne transpire pratiquement jamais.

Je songeais aussi que je devais reprendre le tournage le lendemain et je bénissais le fait de tourner un épisode dans lequel nous étions censés être en vacances, ce qui permettait de jouer avec des lunettes noires pour cacher le désastre autour de mes yeux – désastre irrattrapable en une journée, d'autant plus que je recommençais à dégouliner lentement...

Je n'avais dormi que deux ou trois heures mais je sentais bien que je ne réussirais pas à me reposer dans la journée, pas dans cette chambre où j'allais tourner en rond dans ma tête à la poursuivre, ELLE, à me désoler.

Et tout à coup je sus ce qui me ferait du bien. Je le sus si fort que cela devint rapidement un besoin irrépressible, absolu. C'était la seule chose à faire, tout mon être en avait soif, le voulait : me baigner dans la mer.

Pourtant nous avions tourné une scène de plage dans laquelle je devais nager et j'avais hurlé de froid, moi, la frileuse invétérée, au bord de réclamer la combinaison de plongée prévue au cas où je ne supporterais pas les quatorze degrés de l'eau des côtes portugaises. Seule la crainte du ridicule m'avait retenue de me harnacher de caoutchouc

« Tournez la page » comme le souhaite votre petit garçon, pensant que l'amour que vous vouez à vos disparus le frustre un peu, lui ; il ne sait pas encore que toutes ces amours se juxtaposent très bien sans se nuire entre elles ; il le comprendra plus tard, beaucoup plus tard, quand il vous aura perdue vous aussi.

*

Madame,

J'achève la lecture de votre livre en pleurant véritablement. Je pleure, et la petite fille de la page 74 me bouleversera longtemps.

Pardonnez mon exaltation, à 64 ans on est émotif.

Je passe le livre à ma femme et vous assure de ma compréhension profonde.

pour me tremper à côté de tous ces gosses – et même de quelques adultes sans doute anormaux ou nantis d'une insensibilité épidermique de rhinocéros – qui y barbotaient avec plaisir.

Ce matin-là, pourtant, l'idée de me baigner dans cette eau glacée était celle du bonheur absolu. M'allonger dans la tiédeur du sable, d'abord, le sentir doux, mouvant, fermer les yeux en entendant tous ces bruits de plage, loin, si proches mais si loin dès qu'on ferme les yeux. Et puis, quand j'en aurais assez de savourer mon isolement et ma faiblesse, je me lèverais et j'entrerais dans la mer.

J'éprouvais à l'avance la volupté de m'y plonger, de me laisser aller, porter, d'avoir de l'eau dans les yeux, dans la bouche, par-dessus la tête, m'en régénérer, m'en nourrir et me fondre en elle, nager longtemps, longtemps...

Galvanisée par ce besoin, cette envie folle dont j'attendais tous les apaisements, je me levai, pris un sac léger, y fourrai un maillot et appelai la réception de l'hôtel pour avoir un taxi. En effet, il faut faire environ trois quarts d'heure de route pour trouver une plage quand on est à Lisbonne, en empruntant un énorme pont qui enjambe le Tage – entreprise qui peut à elle seule prendre beaucoup plus de temps aux heures de pointe. Mais le dimanche matin, aucun problème.

Le problème ce jour-là était autre : il n'y avait pas de taxi, ou pratiquement pas, car une manifestation corporative les monopolisait hors de la ville. J'appris ce détail après avoir attendu une demi-heure, mon sac entre les pieds. Je ferais mieux, me dit-on, de tenter ma chance au-dehors, de héler un chauffeur en maraude qui ne se serait pas rendu à cette manifestation.

Après avoir fait le pied de grue encore vingt bonnes minutes au bas de l'hôtel, situé dans un quartier très – et ce jour-là trop – calme, je me lançai au hasard dans la ville, espérant une rue passante pas trop loin.

Je n'avais pas fait vingt pas que je tombai sur mon metteur en scène – devenu grâce à ce tournage et resté un excel-

« Quand une plaie se ferme hermétiquement, on fait aussi le deuil du ciel dont elle montait la garde. »

Céline Zins, poète.

Je souhaite de tout cœur que votre livre et les échos qu'il suscite vous aident à atteindre votre ciel.

*

Je suis une vieille dame. Mais j'ai perdu un fils qui laissait trois enfants. Deux ans plus tard, c'est une fille que j'adorais qui est morte subitement, nous laissant tous, famille et amis, dans la désolation.

De ces deux absences qui me révoltent, je suis inconsolable et, comme vous, je me demande quel est l'imbécile qui a pu prétendre qu'« il n'est nulle douleur que le temps n'apaise ».

Moi, je sais bien que je ne ferai jamais mon deuil.

lent ami –, en maraude lui aussi dans ce coin fort éloigné de son propre hôtel, pour une raison qu'il me dit et dont je ne me souviens plus, obsédée que j'étais par mon désir fou d'aller à la mer.

Seul, désœuvré en ce dimanche, il m'accompagna quelques rues dans ma recherche d'une voiture. Mais sa conversation me détournait de l'attention que j'aurais dû porter exclusivement à la circulation et, midi étant largement dépassé, il me proposa de déjeuner.

Je fus immédiatement terrifiée (s'il lit ces lignes, il doit sourire dans sa barbe), car je connaissais son goût pour les longs repas dans ces obscures arrière-salles dont je parlais plus haut et qu'il affectionne autant que les Portugais. J'essayai de fuir mais, pour me faire plaisir et satisfaire mon propre goût pour le soleil, il me proposa de chercher un restaurant en terrasse, ce qu'habituellement il déteste – comment résister à un homme qui se sacrifie à ce point ?

Or tous les Portugais ne fuyant pas systématiquement le soleil, nous ne trouvâmes de place, bien sûr, sur aucune terrasse et, au bout d'une bonne heure de recherche, exténués, transpirants – et je vous passe le degré de mon ébullition intérieure, mon besoin d'eau et de mer devenant de plus en plus vital de minute en minute – nous aboutîmes inévitablement dans un des restaurants les plus hermétiquement clos à la lumière du jour.

Il est inutile que je raconte le déjeuner. Cet homme est un ami délicieux. Je le haïssais... Ce jour-là, pendant deux longues heures, je l'ai haï d'être si charmant, amical, et, l'aimant comme un frère, j'étais dans une colère noire contre moi-même pour n'avoir pas été capable de le quitter une heure plus tôt et maintenant de me lever, de le planter là pour aller faire ce que je voulais, ce dont j'avais un besoin de plus en plus frénétique : rejoindre la mer.

Enfin sortis de cet endroit, nous errâmes encore près d'une heure à la recherche d'un taxi de plus en plus hypothétique, puis nous attendîmes à un arrêt d'autobus que quelque chose arrive.

Sur une grande avenue vide, sans arbres, pendant que nous patientions avec quelques autres paumés dominicaux, je trépignais intérieurement. Tout mon être était en souffrance, j'avais besoin, faim, soif de baignade, d'eau immense, et rien, aucune nourriture terrestre, aucune amitié n'aurait pu apaiser mon manque. J'en avais mal. Et pendant ce temps-là, pour se désennuyer (et aussi parce qu'il avait fait honneur au vin portugais), mon compagnon tentait de déraciner le poteau d'arrêt de bus...

Cinq heures. Il faisait beau encore. Je ne sais plus exactement ce qui s'est passé, j'ai un trou de mémoire, mais je sais que finalement je me retrouvai tout de même dans un taxi, tentant d'aller coûte que coûte vers la mer.

Je m'étais posé très vaguement la question du retour. Comment pourrais-je, une fois mon désir assouvi, rentrer à Lisbonne ? Aucune importance. Je ferais du stop, peut-être. Là n'était pas la question. Y arriver, déjà, et plonger, plonger...

Mais le fameux pont qui traverse le Tage, à six heures un dimanche soir, était totalement bloqué par la circulation, et je dus donc, après une bonne demi-heure de surplace dans l'embouteillage, la rage au cœur et une frustration douloureuse sous la peau, rebrousser chemin.

Le chauffeur me déposa en bas de la rue de mon hôtel et, en la remontant, j'insultai mon ami, je le traitai de tous les noms, à voix haute, au comble de la fureur, je le détestais de plus belle pour s'être ainsi mis en travers d'un désir aussi intense.

Au seuil de la porte de l'hôtel, n'en pouvant plus de manque et de révolte, j'eus une illumination subite : le fleuve ! Certes, je ne pouvais pas atteindre la mer dont je rêvais, mais en désespoir de cause je pourrais au moins me tremper les pieds, les jambes dans le Tage. On y faisait du canot, l'estuaire n'était pas loin, et sur le moment j'aurais juré avoir vu des gens s'y baigner.

Je dévalai la rue vers les quais tout proches, traversai une place, marchai dans la lumière qui commençait à devenir rasante. Mais il faisait doux, très doux. Ce serait bon encore.

En écrivant cette lettre, je ne sais pas encore si je vais l'envoyer.

Mais je ne peux pas ne pas l'écrire.

Le vieux célibataire que je suis est seul aujourd'hui. Il veut l'être.

Je feuillette un journal et je tombe sur un portrait de petite fille qui me regarde. Gravement.

Et cette petite fille-là, j'aurais tant voulu qu'elle eusse été la mienne…

Depuis quelques années, je ne rate pas un seul film à la télé où vous apparaissez. Je vous aime bien. Je vous aime même beaucoup.

Maintenant, je connais votre histoire et je vous verrai avec d'autres yeux.

Il y a quelques larmes dans ces yeux, en ce moment…

Je suis heureux.

C'est bête, hein ?

Je vous embrasse.

De toute façon là n'était pas la question, plaisir ou non, le besoin était plus fort, plus profond. IL FALLAIT que je le fasse.

Arrivée sur les quais, une autre épreuve m'attendait : l'eau que je voyais à vingt mètres, tentatrice, était absolument hors d'atteinte. Chemin de fer bordé de barrières, d'entrepôts entourés de hauts grillages, enfin tout me barrait le chemin, tout m'empêchait. Et je m'obstinais, je m'obstinais...

J'ai marché des kilomètres sur ces quais interminables, je pleurais de rage, les poings serrés, tout en continuant à chercher un passage vers l'eau, courant presque. Je n'ai jamais pu l'atteindre.

J'ai dû errer ainsi longtemps car, lorsque enfin j'échouai à mon hôtel, les jambes en compote, la nuit était près de tomber et il commençait à faire froid. Des gens calmes prenaient des cocktails dans la cour-jardin en papotant.

Dans ma chambre je tremblais encore de colère, j'avais mal, glacée de frustration, et faute de mieux je me jetai dans la salle de bains et ouvris à fond les robinets de la baignoire. Puis je m'assis sur les toilettes, regardant mon bain se remplir, et j'eus un ultime, énorme sanglot de rage et de manque devant le dérisoire de cette eau plate, sans goût, si peu nourricière, et de cette baignoire étriquée qui m'empêchait de plonger, de me fondre...

Et, regardant l'eau couler à flots, d'un seul coup, le rapport s'est fait entre le besoin de mer et ma mère.

Ma colère tomba instantanément. J'avais compris.

Cela n'avait rien à voir avec un raisonnement quelconque, aucune démarche de déduction n'avait précédé cette évidence. Elle m'apparut, tout simplement, claire, nette, simple. Je restai hébétée, les bras ballants, assise sur le couvercle des toilettes, regardant l'eau couler. De la même manière que certaines personnes disent voir défiler en quelques secondes tout le film de leur vie lors d'un danger mortel, je voyais plus modestement se superposer simultanément tous les moments, les détails, les concours de circonstances qui m'avaient – j'allais dire « péremptoirement » – empêchée d'aller satisfaire mon envie démente de

Je vous envoie le poème que ma sœur a écrit lorsqu'elle a appris le suicide de son fils. Il allait avoir vingt ans.

C'est arrivé.

A mon fils

Sais-tu que le coucou a chanté comme un fou
toute la nuit dernière ?
et je t'écris dans l'au-delà, que les hirondelles
sont très élégantes cette année,
peut-être ne l'avais-tu pas remarqué
le grand rosier se couvre d'énormes boutons
couleur de sang
qu'hélas je réserve pour ton retour
je crois, vois-tu, que si ce rosier a tant d'épines
c'est qu'il est si fragile
que nous n'avons pas su le deviner
mais tu m'as dit cette nuit
« maman, il ne faut pas pleurer ».

Je me dis que cette force d'aller jusqu'au bout de votre souffrance vous fera faire de grands pas vers la vérité.

Ce regret qui ne partira jamais, vous l'avez localisé : voilà l'essentiel, voilà la vérité. Ce n'est plus lui qui est maître de vous mais vous qui, maintenant, en l'ayant cerné et ciblé, vous rendez maître de lui. Voilà. Je suis, je ne sais pourquoi, tout à fait confiante et heureuse pour vous, pour votre avenir.

*

On ne communie bien que par ce qu'on a de plus faible.

rejoindre la mer, d'y plonger jusqu'à plus soif. Et comme il était peu question d'anodin plaisir, et comme m'indifférait mon retour de là-bas...

Je ne sais pas ce qui se serait passé. Je ne peux pas dire que je me serais noyée. Non, je n'en sais rien, et de toute manière pas volontairement. Mais j'étais loin de chez moi, sans la présence physique de mes petits, mes liens à la vie, isolée, dans un état douloureux extrême. Ce jour-là était un de ces fameux jours-charnières où tout est possible, le faux pas au bord du trottoir, la glissade, la crampe trop loin au large pour revenir... Un jour à s'échapper, enfin. Et quel meilleur moyen de la rejoindre, ma perdue, que de me perdre à mon tour dans le liquide originel, retourner à la source, au temps sans douleur où je flottais dans son ventre ?

Supposition floue, bien sûr. Je n'affirmerais rien. Mais ce sont plutôt tous ces empêchements, ces petits événements bien tangibles, hasards réunis dans ma tête comme les bribes d'un message éparpillé tout à coup clairement lisibles, qui m'ont frappée. Et cette clé dénoua instantanément ma colère. Mon désir même s'évanouit à reconnaître que si tout s'était ligué contre lui, c'est sans doute qu'il ne FALLAIT PAS que cela soit.

Doucement, tout s'est apaisé en moi. C'était fini. La crise était passée.

Je suis restée assise là. Je ne pensais même plus à prendre mon bain. Je pleurais tout bas, j'aimais de nouveau mon ami, je pardonnais aux chauffeurs de taxi, je reconnaissais que les barrières le long des quais doivent avoir parfois leur utilité. Tout, tous avaient joué leur rôle en ce jour et j'étais là, bien gardée, ramenée à moi, à ce que j'avais à faire, à vivre.

Et dans ce bain où finalement je m'étais tout de même glissée, mais raisonnablement, sans plus de besoin désespéré de me fondre dans l'eau, je me sentais pesant de mon poids sur le fond, encadrée de parois, les bras serrés le long du corps, les pieds appuyés sur le bord opposé, tenue, tenue...

Hier soir, à Ex-libris, *je vous ai entendue. J'ai été touchée lorsque vous avez raconté que vous avez essayé de passer devant des voitures, espérant être frôlée ou ? ?*

Un soir, boulevard de la Marne à Rouen, vous avez été « frôlée » par une voiture. J'étais là, rentrant chez moi. Je vous ai assise sur le banc, vous avez appuyé votre tête sur mon épaule. Une ambulance est venue vous chercher pour vous conduire à l'Hôtel-Dieu. Je vous ai dit : « Partez tranquille, je vais avertir votre tante. » Vous m'avez précisé : « Elle est à Saint-Patrice, elle assiste au Salut. Surtout avertissez-la doucement. » Vous vous rappelez ? Dites-moi, vous en avez fait exprès, ce soir-là ?

Vous nous avez fichu une belle frousse !

De temps en temps, je pense avec émotion à ce moment-là.

Cette lecture qui m'a pénétré ne peut en effet permettre l'attente : elle attend haletante la réponse ou du moins l'attention, la commisération, espoir désespéré d'une brise douce qui calme, au moins pour un temps, cette brûlure de la plaie à l'âme qui ne cautérise pas. Mais une réponse, on n'en a pas ! Tout au plus peut-on risquer : « Je suis là, si vous voulez. » Mais là à quoi ? On se sent si réduit, si nul avec tout son savoir ridicule de nullité !

Vous restez hors-placenta, là, pantelante, en deçà encore et comme déjetée, prise en même temps en douleur de forceps de la vie imparable qui vous tire... Découvrez comme vous vous êtes bien fait entendre ! Malgré vos « je ne sais pas », « je ne sais pas », « je ne sais pas » lancinants !

Mais au fait : pourquoi ce besoin de vous écrire ?

« Commisération » utilisé tout à l'heure aura pu vous faire bondir, je l'imagine très bien : « Comment, pauvre mec, à des années-lumière de mon incessante douleur, pouvez-vous oser prétendre vivre avec moi ma souffrance ? » Ce n'est pas cela : Je le comprends, ce mot à votre égard, autrement qu'en son sens courant : dans celui – tant pis si je fausse l'étymologie – d'être misérable avec : vous ramenez le lecteur à son état embryonnaire, à son état nécessaire de quêteur, à son néant. Voilà : votre livre est un livre source ! Non qu'il apporte de réponses, puisque vous resterez jusqu'au bout comme poisson hors de l'eau gueule béante s'asphyxiant d'air, mais parce qu'il rappelle à la reptation pour le redressement.

Nos mères ont été les femmes d'entre les deux guerres. Une génération de femmes sacrifiées :

Entre la puissance de leurs mères, que j'appelle « les femmes de 14 » qui dominent, et qui commandent à la tribu, et la poussée d'indépendance de leurs filles d'après-guerre.

En 1946, enfin le droit de vote aux femmes. Il a fallu un temps pour qu'elles s'adaptent...

Jusque-là, le code civil napoléonien confondait « les femmes, les enfants, et les fous ».

Nos mères vivaient entre le ménage, le tricot, le raccommodage, le repassage, les repas... et les enfants, le mari.

Il y avait le tricot, surtout, oui.

Votre mère lisait en tricotant. Ne dites pas que c'était l'aliénation complète. Ne le pensez plus. Non, c'était le contraire. Je le sais parce que je l'ai vécu.

Entre huit et douze ans, ma mère me faisait tricoter d'interminables « culottes » en coton rose, bleu ou blanc pour mes frères et sœurs.

Elle me privait de jouer, me supprimant les livres, car, disait-elle : « C'est une activité de paresseuse. » Quand une culotte était finie, il fallait en recommencer une autre, puis une autre, toujours au point de jersey.

J'avais donc imaginé, perversion ultime à l'intérieur du carcan, de LIRE EN TRICOTANT. *Cela, elle le tolérait. Je lisais ce que je trouvais, c'est-à-dire les Bonnes Soirées qu'achetait ma grand-mère, la fausse littérature... mais c'était quand même une bouffée d'air.*

Dans sa vie, votre mère s'en tirait comme elle pouvait. C'était difficile pendant la guerre, après la guerre.

Il fallait compter sans arrêt, tout confectionner soi-même. Et comme la véritable indépendance ne passe que par l'indépendance financière, votre mère, la mienne, étaient prisonnières du piège domestique.

*

J'ai l'âge exact qu'aurait votre mère.

J'aimerais tant vous procurer un peu de la paix que j'ai moi-même, malgré mes soixante-dix ans, tant de mal à trouver !

Sans éradiquer ce regret qui vous tient chaud au cœur, je serais heureuse de contribuer, dans une modeste part, à effacer le remords, même léger, qui pourrait encore s'y glisser. Il me semble, en tout cas par l'expérience que j'en ai, qu'on se croit toujours responsable – en partie, bien sûr – de la mort des êtres aimés, et en particulier de celle de ses parents. Les miens ont disparu, à quelques années d'intervalle, lorsque j'avais la quarantaine, et pourtant il y a fort peu de temps que je ne me considère plus matricide et parricide – termes que j'employais, moi aussi, avec un humour tout britannique.

Je les ai aimés – adorés serait le mot juste – et j'ai perdu la foi à la mort de mon père. Tant pis.

Nous serons peut-être nombreux à tenter de vous consoler un peu. Mais cela ne m'ennuie pas, au contraire.

Pendant les mois qui suivirent, et même bien après que le livre fut sorti en librairie, je vécus une sorte de double vie. Je continuai mon tournage à Paris, tout à fait gaiement, je retrouvai aussi mon rôle de mère, mes amis. Je fonctionnais apparemment comme avant et parallèlement je vivais mon chagrin, mon inextinguible besoin d'elle. Un petit moi blessé, le petit moi de huit ans privé de sa mère et de son père, hurlait dans cet espace secret que j'avais enfin ouvert avec l'écriture.

Dans la journée je me débrouillais plutôt bien. J'ai une si longue habitude du dédoublement que je pouvais parfaitement rire avec mes camarades de travail, tourner une scène très gaie et me retrouver sans transition les larmes au bord des cils. Je refoulais la bouffée de douleur, faisais taire la petite fille à l'intérieur de moi. J'attendais patiemment d'être seule pour me laisser aller, la rejoindre, pleurer sans retenue, me révolter.

Attendre, aussi...

Car dès le lendemain de l'apparition de ma mère, j'ai commencé d'attendre qu'elle revienne.

Les premiers jours, les premières nuits, je n'ai pas bien compris. Elle était trop omniprésente, à toute heure je la voyais, j'évoquais les détails de son visage qui m'échappaient de plus en plus. Et puis j'étais encore sous le choc, il était normal que je ne dorme pas, ou de si curieuse manière, sans aucun abandon dans les couches profondes du sommeil.

Et puis, quand je suis rentrée à Paris, que j'ai repris ma vie « normale », cela a continué. La nuit, je pouvais ouvrir les yeux dix fois, vingt fois. Je restais toutefois calmement étendue, faisant consciencieusement ma nuit, l'esprit en éveil. Je me disais : « Bon, ça va, je dors. Je dois dormir vraiment, là... », et sans aucun effort j'ouvrais les yeux – « Eh,

Petit à petit j'ai jeté les yeux sur le texte comme on ouvre une porte tout doucement sur quelque chose qui va vous faire mal, qui va vous mettre le doigt sur une douleur qu'on fuit ou qu'on négocie vaille que vaille.

Quelque part on a toujours honte de souffrir encore après vingt-cinq ans. On n'ose pas en parler. D'ailleurs, souvent ça n'intéresse personne.

J'ai trois enfants, deux garçons et une fille. A sa naissance à elle, toutes les angoisses que j'avais occultées sont venues et je me débats avec depuis. J'éprouve une angoisse énorme de l'abandonner comme je l'ai été. C'est un combat de presque tous les jours.

Je suis une petite dame inconnue dans une province discrète, dans sa petite maison avec sa petite vie, et ça doit être aussi une grande révélation de voir qu'une grande dame connue dans une grande ville, avec une grande vie souffrait comme moi... Petite consolation ou méchante, je ne sais pas.

J'écris cette lettre dans une espèce d'urgence, de crainte de ne pas l'écrire. D'ailleurs j'écris très vite et très mal.

*Ce qui m'a le plus émue c'est votre détresse indicible face à ce regret d'*EUX. *Je comprends votre peur de les perdre définitivement si vous « faites votre deuil ».*

Mais ne vous semble-t-il pas nécessaire, sinon indispensable, « d'arrêter d'y penser maintenant » ?

Pour vos deux enfants, Anny, pour ces deux petits qui ont tant besoin de votre amour total pour, demain, être des vivants qui aiment.

*

Il y a deux jours, à la suite d'une semaine difficile, j'entre dans une librairie prendre votre livre Le Voile noir *et chez Phildar consulter et acheter deux catalogues de tricots, un simple, l'autre compliqué.*

Je commence par votre livre et ne le lâche plus, comme un tricot.

Alibi tricot, alibi lecture, alibi boulot, alibi enfants... dans le fond, nous sommes constamment à la recherche plus ou moins consciente d'alibis pour vivre notre condition humaine jusqu'au bout, reste à faire parmi eux le meilleur choix !

Le livre est hélas fini ! Il me reste le tricot...

Il y a quinze ans, grâce à lui, j'ai supporté de veiller mon père très malade, un ouvrage jamais terminé car mon père est mort avant son achèvement. Je n'ai jamais pu le reprendre et lui aussi doit se tapir dans un meuble-sarcophage.

PS : Je crois que je vais ouvrir le catalogue « Modèles faciles »...

Cette lettre n'appelle pas de réponse.

C'est un message d'espoir. Je ne sais pas si cinquante ans suffisent à ne plus moucher bruyamment dès que l'on écrit ou en relisant ces mots trop lourds de notre enfance à jamais perdue. Par contre, ce dont je suis certaine est que cette faille reconnue, acceptée, nous donne une force qui n'est pas vaine. Nous n'avons pas choisi notre douleur et elle n'est pas inutile.

Courage pour avancer sur ce long chemin et ces quelques vers de Rilke :

> *...Ce ne sont pas des souvenirs*
> *qui, en moi, t'entretiennent,*
> *tu n'es pas non plus mienne*
> *par la force d'un beau désir.*
>
> *Ce qui te rend présente,*
> *c'est le détour ardent*
> *qu'une tendresse lente*
> *décrit dans mon propre sang.*
>
> *Je suis sans besoin*
> *de te voir apparaître,*
> *il m'a suffi de naître*
> *pour te perdre un peu moins.*

non. Bon, tant pis, continuons. Il faut que je reste comme ça encore quatre, cinq heures... ».

Au début ça m'a agacée, je me relevais souvent. Et puis j'en ai pris mon parti, d'autant plus que cela ne semblait pas altérer mon énergie dans la journée, je me reposais tout de même.

Et j'avais compris. Je l'attendais.

J'appelais désespérément le retour de ma mère dans mes rêves. Puisqu'elle m'était apparue une fois telle qu'elle était lorsqu'elle était vivante, il n'y avait aucune raison que ça ne se reproduise pas. En écrivant mon livre, j'avais peut-être découvert une clé, débloqué un processus qui allait me permettre de retrouver mon enfance en rêves, les bras de ma mère – ah, la revoir ! Pouvoir la toucher enfin, la regarder même quelques secondes ! –, et en même temps j'avais une peur panique d'éprouver à nouveau un tel bouleversement au réveil. Cette seule pensée me provoquait encore immédiatement une crise de sanglots, mais mon désir était plus fort. Je la voulais, je l'espérais malgré tout. J'écrivais dans le journal intime que j'avais commencé au Portugal :

« Je l'appelle de toutes mes forces. J'espère, malgré l'horrible crise de souffrance que cela m'a provoquée, que ce n'est pas la dernière fois qu'elle m'apparaît. Oh, non, que ce ne soit pas la dernière fois, ce serait trop cruel ! Et pourtant, la voir m'a fait si mal... Est-ce cela que je me suis épargné en tuant tous mes souvenirs d'eux vivants ? Maman, tu me manques ! Tu me manques tellement ! Maintenant que tu m'as redonné une fois ton visage oublié, je ne peux pas supporter de ne jamais te revoir. Toi que j'avais repoussée depuis le jour de ta mort, que j'avais effacée, niée, comme je t'aime, comme tu me manques, c'est affreux. Il faut que tu reviennes. Ne me laisse pas avec cette seule image de toi, douloureuse, suppliante. Oh ! maman, qu'est-ce qui t'a pris de mourir ? Et mes bras se tendent dans le vide, et mes mains me font mal d'envie de t'étreindre. Il faut que tu m'apaises, toi seule peux le faire...

Mais qu'est-ce que je crois ? Que ma mère va revenir docilement, que je vais vivre avec elle dans mes rêves de délicieux moments consolateurs de son absence ? Gambader avec elle la nuit, la serrer à loisir dans mes bras, telle qu'elle était, et reprendre au matin ma vie normale sans ELLE, sans EUX ? Pauvre folle, à quelle double vie rêves-tu là ?

Ce qui va t'arriver si tu la revois, s'ils réapparaissent, lui ou elle, ce sera pour que tu éprouves à nouveau jusqu'au fond des tripes que tu les as perdus à jamais. Ce sera pour le deuil à faire... »

Et chaque soir j'ai vécu ce désir et cette appréhension qui me laissaient somnoler, « en surface », là où elle n'est pas, où elle ne risquait pas de m'apparaître. Et j'enrageais de ne pouvoir m'abandonner au sommeil, de m'empêcher moi-même de la rejoindre dans les contrées inconscientes et noires où peut-être elle m'attendait.

Parfois, pendant des jours, j'avais l'impression d'oublier. Je riais au tournage, j'étais bien avec mes enfants, j'éprouvais même de temps à autre quelques heures de paix semblables à celles que j'avais vécues au Portugal la veille de son apparition. Je respirais avec l'impression d'une libération, d'un profond soulagement, et tout à coup une petite pensée : « Si j'arrive à bien me détendre, ce sera peut-être pour cette nuit. »

J'avais à l'esprit l'image déjà un peu floue mais toujours présente de son visage, de son regard d'enfant perdue à vous arracher le cœur de tendresse. Je la portais en moi sans arrêt, obsédante, et je m'habituais au fait qu'elle remplace peu à peu la permanence de l'AUTRE image, celle qui m'a accompagnée toute ma vie : leurs deux corps inanimés sur le carrelage blanc.

J'écrivais : « Je vis avec cela, maintenant. Suis-je condamnée jusqu'à la fin de mes jours à avoir toujours mes morts entre moi et toute chose ? Mon regret, toujours, entre moi et ceux que j'aime ? »

Je dormais seule, parfois avec l'un de mes enfants.

Chez moi, chacun a sa chambre et je me suis mise à

Elle s'appelait Hélène, elle avait quatre filles, elle, morte, comme ça au milieu d'une journée, la veille de Noël. Ma mère avait sept ans. Ma plus jeune tante en avait deux. Je ne l'ai jamais nommée car on n'en parlait pas, personne. Fini.

Mais elle rôdait partout, peut-être surtout le jour de Noël, où les quatre sœurs et leur famille se sont réunies des années durant, sans faillir : y être et y être gai. Seule, ma mère a failli, je l'ai vue, triste, accablée chaque Noël de mon enfance, sa petite sœur à ses côtés pour la soutenir.

Une autre de ses sœurs a acheté votre livre, elle l'a passé à ma tante la plus jeune, elles ont décidé d'un commun accord que ma mère ne devrait pas le lire : lui trop dur, elle trop fragile... Mais ma tante m'a pressée : « Prends-le, tu verras... » J'ai résisté. Peur ? Elle me l'a donné, et je ne l'ai pas lu, non, plutôt regardé, humé, je ne sais pas très bien... Il m'a traversée de fond en comble.

Puis j'ai parlé avec ma tante, parlé d'elle, ma grand-mère, sa mère, sa douleur, celle d'une vie.

Et puis au matin, la tempête est entrée chez moi, et j'ai pleuré, pleuré ma grand-mère morte, enfin pour moi, morte avec la tristesse, le froid, la peur...

J'ai vingt-huit ans, c'était il y a cinquante ans.

Merci pour la parole reprise.

Ma mère vient de me demander le livre, je le lui ai donné.

J'avais mis, il y a deux ans, sur la première page de mon agenda cette phrase, dans l'idée que mes enfants la trouvent si je mourais : « Ne pleurez pas, ne m'attachez pas, laissez-moi partir. » Je pense que c'est là que les choses peuvent se renverser : et eux ? ceux qui sont morts ? de quel droit on se les attache, on se les accapare ? Ce n'est déjà pas facile d'être morts. D'abord on ne comprend pas qu'on est mort. On ne comprend pas que les gens ne nous voient pas, ne nous entendent pas, il faut faire le deuil de sa vie, accepter de quitter ceux qu'on aime, et se décider à aller vers la lumière ; alors si ceux qu'on aime s'accrochent à nous, ça ne doit pas faciliter les choses !

Pourquoi maintenant ne pas accompagner vos parents vers la lumière ? Pourquoi ne pas leur dire que vous êtes grande, que vous n'avez plus besoin d'eux de la même manière, que votre bonheur est de les savoir lumineux, ailleurs, que vous pouvez les laisser partir ?

transformer la pièce que j'occupe et qui me sert aussi de bureau. Il me vint l'envie subite, incongrue pour moi qui n'en avais jamais eu l'idée, de couvrir le sol de tapis.

J'achetai des tapis d'un rouge profond. Puis je couvris aussi la table où j'écris d'une nappe douce, à reflets rouges aussi, et j'y posai, nouvelle acquisition, une lampe en pâte de verre orange qui faisait une lumière chaude, presque irréelle, quand je l'allumais la nuit. Car parfois je ne supportais plus ce faux sommeil, ce qui-vive permanent qui me tenait à demi éveillée, et je me relevais. Je m'asseyais à la table en rêvassant, sans pensées précises, hors sensation, hors temps.

Une nuit, qui avait suivi une terrible crise de manque de ma mère avant de me coucher, je m'assis là, particulièrement découragée – eh non, pauvre puérile, elle ne viendra plus, ta mère –, et je regardai autour de moi. Je vis la chambre, ce cocon rouge, moelleux, feutré, sans aspérités. Je me vis, moi, solitaire, cherchant à me rassurer dans cette ambiance douillette à se rouler en boule dedans, doucement repliée sur moi-même, rideaux tirés, protégée. Je me voyais et j'étais désolée, impuissante à constater que, voulant m'ouvrir, me libérer, je n'avais rien trouvé de mieux à faire que de transformer ma chambre en utérus douillet, où revenir me blottir dans une pénombre à reflets de sang nourricier.

Et puis je l'interprétais, maintenant, ce regard.

Je m'étais persuadée de plus en plus que ma mère dépressive avait, même inconsciemment, provoqué cet accident, qu'elle avait souhaité en finir. Je m'enfonçais dans cette certitude. Elle avait à toute force voulu fermer la fenêtre bien qu'elle sache qu'il y avait danger mortel, elle m'avait appelée obstinément pour que je vienne aussi, puis fermé la porte. Et moi, j'avais désobéi, j'avais ensuite vaguement entendu quelque chose d'anormal et laissé faire, paresseuse... Et je voyais sa terrible expression de détresse qui me criait : « Pardon ! » Après l'avoir chassée de ma mémoire, lui en avoir voulu depuis tout ce temps, je lui pardonnais.

C'était si clair et si douloureux : je me réconciliais avec ma pauvre mère coupable.

J'ai relu plusieurs chapitres et j'y ai beaucoup réfléchi.

Je ne crois pas que les raisons que vous invoquez concernant votre attitude après le drame, le vide que vous faites autour de vous, négligeant votre famille, le refus de répondre à la lettre de l'ami de votre père, le cimetière où vous n'êtes jamais allée, etc. sont de vraies raisons.

La vraie raison, à mon avis, c'est que depuis ce dimanche funeste vous êtes minée par un immense sentiment de culpabilité qui ne vous quitte pas.

A la fin du livre, vous essayez de vous débarrasser de ce sentiment de culpabilité en disant que votre mère n'a rien fait pour éviter le drame, qu'au contraire c'est ce qu'elle désirait.

Votre mère était-elle mélancolique ou est-ce vous qui le dites ?

Décidément, l'impression de libération que j'avais éprouvée à la fin de l'écriture de mon livre était bien illusoire. J'étais collée à mes dernières pages, barbotant dans cette détresse, et je me repliais comme un œuf sur mon regret, sur mes morts, mes dieux à moi. Ils m'habitaient toujours. J'étais pleine d'eux. Et tous ceux qui partageaient ma vie, compagnon qui dormait dans la pièce au-dessus de cette chambre-utérus où j'étais blottie, amis tendres et agacés à la fois de me voir m'enfoncer si profondément dans mon histoire, chemin à rebours au cœur du regret, au lieu de sortir du tunnel, et même enfants, petits satellites ignorant encore cette trame de leur histoire, victimes peut-être déjà d'un poids transmis par moi, malgré moi, tous étaient impuissants à me délivrer. Il n'y avait que moi pour le faire. Moi, le voulant avec ma tête et mon cœur et résistant de toutes mes forces au plus profond, me nourrissant de ma douleur. Je n'arrivais pas à faire autrement. Et, curieusement, réfléchissant à cette contradiction qui me liait sur place, je me sentais en paix...

J'écrivais : « Je reconnais – et j'ai, je le sens, les yeux de ma mère, le regard qu'elle a sur certaines de ses photos, en écrivant ceci –, je reconnais l'inanité de mes efforts contre ce qui m'habite. Et je reconnais qu'il n'y a pas de véritable amour possible tant que cette monstruosité en moi sera intacte. Je ne suis pas ouverte, pas disponible. On est si peu libre quand on geint après un corps mort, à téter désespérément le lait amer du "plus jamais"...

Si je n'arrive pas à me libérer, si CELA m'habite pour toujours il n'y a pas de partage possible.

Grandir, donc.

Suffit-il de laisser l'enfant pleurer jusqu'à plus de larmes

pour y arriver ? Pour commencer à sortir de la monstruosité ? Que c'est étrange de se sentir en paix à la reconnaissance en soi de si affreuses choses...

Est-ce le fait d'admettre que je ne peux faire autrement ? D'arrêter de me battre, de sécréter des masques et des protections ?

ADMETTRE serait-il une petite progression vers ACCEPTER, une petite brèche dans l'impartageable ? »

Ne cherchez pas à imaginer votre maman se laissant mourir, c'est insensé, elle avait de très bonnes raisons de vouloir vivre et nul ne peut impunément se mettre à la place de quiconque.

C'est une grand-mère de bientôt 16 petits-enfants qui vous demande d'être heureuse en famille, et vous envoie ses chaleureuses pensées.

Vos parents sont fiers de vous, car soyez-en sûre, ils ne vous ont pas quittée.

*

La lecture achevée, je n'avais que mon silence à vous offrir. Vous m'avez proposé d'entendre votre histoire et c'est bien fait. Elle est inscrite en moi à jamais.

Vous avez apprivoisé l'enfant triste qui est en vous. Reconnue et aimée, elle peut dormir tranquille, la petite fille. De temps en temps sans doute s'éveillera-t-elle encore pour crier sa souffrance mais vous saurez l'entendre et l'apaiser.

Votre beau livre réconcilie les adultes blessés que nous sommes avec les enfants perdus que nous avons été.

Voilà, votre regard est là, dans ma bibliothèque et chaque fois que mon regard tombe dessus mon cœur se contracte un peu, petite douleur diffuse et mystérieuse...

Une amie vieille fille m'a offert votre livre. Intelligente et bonne, elle ne m'a pourtant pas ratée ! Ce matin je suis malade de moi-même, les jambes coupées, les yeux rouges et le cœur chaviré, et je ne trouve qu'une solution pour me remettre debout, celle de vous écrire.

Pourquoi avoir publié ce livre, miroir pour les lecteurs éprouvés et concernés par d'autres morts ?

Lorsque votre petit garçon vous dit : « Il faudrait arrêter d'y penser maintenant », il veut peut-être aussi vous dire : « Il est temps d'y penser autrement » car il ne doit pas y avoir de seconde mort pour ceux qu'on aime. J'ai l'âge de votre mère et je sais bien ce qu'elle vous dit après toute votre si longue quête : « Oubliemoi, ma chérie, donne-toi totalement à tous ceux que tu aimes, c'est en eux que tu me retrouveras et je te parlerai. »

Je vous embrasse avec une grande tendresse.

Pendant tout ce temps, j'éprouvais particulièrement fort l'amour de ma petite fille, cette complicité physique que j'avais avec elle.

Mon fils, que j'aime tout autant, n'a aucunement ce rapport de tendre sensualité avec moi. S'il aime dormir avec ses parents, comme tous les enfants, une certaine pudeur, une distance le maintient allongé à côté de sa mère sans trop la toucher. Petit corps intègre bien distinct du mien, avec ses élans un peu rudes, chaotiques, qui font que nous nous heurtons lorsque nous manifestons physiquement notre affection – le bisou que j'ai envie de lui faire dans le cou tombe précisément au moment où il tourne la tête, et crac il m'écrase le nez, il y a toujours un coude pointu, un genou un peu cagneux en travers de nos mouvements de tendresse.

Ma fille, au contraire, se coule, se love contre moi, s'emboîte dans une douce intimité de peau. Elle est la seule personne avec qui je peux dormir collée, jambes mêlées sans gêne, comme si elle faisait partie de mon propre corps.

A cette période, précisément, où j'éprouvais si violemment le manque physique de ma mère, elle n'était que câlins, m'offrant ses bras à tout bout de champ. Elle allait totalement dans le sens d'une symbiose corporelle avec moi. Je résistais un peu, sans aucunement en avoir envie, et elle devait bien le sentir. Je jouais la mère qui ne tolère raisonnablement ses enfants dans son lit qu'une fois de temps en temps.

Elle n'était pas dupe. J'adorais dormir avec elle. J'éprouvais un plaisir énorme à ressentir ce doux courant passer entre nous, cette aisance de contact, le fait qu'elle restait comme ma propre chair alors que mon fils en était détaché, cette entente des corps d'une qualité si particulière, au-delà des mots, au-delà de l'amour même. Je ne savais pas si c'était mal. Son contact m'apaisait mais j'étais en même

Treize ans, un mari et deux enfants après, je pense encore à maman, j'ai encore « faim » d'elle, il y a en moi un vide que même mes propres enfants ne pourront jamais combler.

Ne déchirez pas ce voile noir qui recouvre vos souvenirs. A dix-huit ans j'étais trop vieille et d'une famille trop nombreuse pour devenir amnésique. Et je peux vous dire qu'il est certains souvenirs trop précis certainement plus douloureux qu'une absence de souvenirs. Ma mémoire cherche en vain à en effacer certains…

temps inquiète, perturbée qu'elle en éprouve un besoin égal au mien. Sentait-elle mon manque ? Essayait-elle de se couler dans le vide qu'avait creusé l'absence de ma mère ?

Un matin je fus presque effrayée.

Nous avions dormi côte à côte toute la nuit, son corps amarré au mien, petite barque épousant les contours, les oscillations de son bateau mère, tranquillement parallèle. Dans un demi-sommeil, je la sentais appuyée le long de ma cuisse et de mon flanc et, comme si notre peau ne faisait qu'une, j'étais incapable de définir où finissait mon corps et où commençait le sien. Je m'étonnais de cette sensation siamoise. Elle était moi, et plus que cela encore...

Je songeai alors que j'avais dû éprouver exactement la même chose avec ma mère. Je dormais dans la chambre de mes parents jusqu'à presque neuf ans, mon père partait souvent tôt le matin, nous laissant seules, elle et moi. Je ne me souviens de rien, mais je fus tout à coup certaine d'avoir été pareillement collée à ma mère, douce, odorante, arrimée à elle moi aussi, épousant sa chair en symbiose parfaite.

Jusqu'à ce qu'elle me trahisse, qu'elle m'abandonne et que j'en reste blessée à jamais.

Aurais-je eu le temps de séparer nos chairs siamoises, de prendre de la distance, de l'indépendance dans la tendresse avec elle si elle avait vécu plus longtemps ?

Je pensais que je laisserais ma fille dans un aussi grand manque si j'étais arrachée à elle.

Les yeux fermés, je nous sentais, elle et moi, unies au-delà de nos liens temporels. Elle était ma petite, ma fille et aussi le souvenir du contact de ma mère. Et j'étais petite fille contre elle, me nourrissant de son odeur, de cet accord sensible qui mêlait indistinctement les rôles, les temps présent et passé.

Je me souvenais du petit déclic particulier qu'avait provoqué en moi l'annonce du fait que j'attendais une fille lorsque j'étais enceinte. J'avais feint à moi-même un détachement, une indifférence envers le sexe de mon deuxième enfant. J'avais déjà un fils, il serait agréable d'avoir une fille.

Oui, bien sûr, sans plus. Et j'avais, vers le cinquième mois, dans un cabinet médical, posé la question d'un ton léger, sur le point de partir : « Ah, au fait, vous ne m'avez pas dit... »

Pourquoi nier maintenant cette tendre révolution au niveau du plexus quand j'entendis la réponse, joie si douce qu'on la remarque à peine, tout de suite elle coule sous la peau, presque insensible ? Et si discret, aussi, ce miel dans la tête, « ma fille »...

Je m'en défendis, après, de peur d'avoir une préférence pour l'un de mes enfants. Cela m'effrayait. En fait, je fus rassurée assez vite sur ce plan. Non, il n'était pas question de préférence, sans savoir vraiment en revanche où se situait la DIFFÉRENCE.

Ce matin-là je la ressentais profondément, cette filiation spécifique de mère à fille, ce flambeau passé de la symbiose et du manque à venir. Et je sentais la douce épaule de ma petite, j'imaginais que sa peau sous mes lèvres était celle de ma mère, pareillement douce. Je l'ai vraiment cru deux secondes. A travers mon enfant je touchais cette volupté, ce que j'avais éprouvé avec elle. Et tout ainsi continuait...

Et je sentais que c'était mal.

Bon sang, la mère, la femme en moi ne finirait-elle pas par triompher de cette petite fille attardée ? Allais-je continuer à être une adulte responsable et à la fois cette enfant pleurant tous les soirs l'absence de sa maman ? Et empoisonner ma fille à mon tour ?

Ma pauvre maman faisait de même, perdue sans sa propre mère, revenant la voir tous les jours après qu'elle eut déménagé, je le sais, impuissante à se détourner d'elle, à grandir... Et, dans ce lit, allongée contre ma fille, je me sentais la préparer à une semblable dépendance. Ne le voulant pas, bien sûr, mais dans le fond éperdue de bonheur à la sentir si proche, si semblable.

Poupées gigognes, guirlande sans fin de filles tournées vers l'enfance, le passé, enfantant à leur tour en appelant « maman » une nouvelle génération d'affamées.

Oui. C'est mal.

Sans avoir vécu ce drame de la tendre enfance, j'ai perdu ma mère, j'avais vingt ans. Je n'ai jamais pu « accepter ». Alors existent aussi pour moi le tiroir-sarcophage, le pavillon de banlieue devant lequel il m'est impossible de passer, le cimetière dans lequel je n'ai jamais remis les pieds.

Un jour, il a fallu que je DISE. *J'avais quarante-deux ans, j'ai pensé être soulagée de ce fardeau après avoir écrit la rupture, l'arrachement. Je me suis dit : « Fini, affaire classée ! » Puis le récit a dormi dix ans dans le tiroir-sarcophage.*

Hier, me croyant guérie, j'ai fait le test : passer devant « la maison ». Enfin courageuse, la grand-mère, fière d'elle ! Mais c'est une petite fille larmoyante, éperdue, déboussolée, malade... orpheline, quoi ! qui a réintégré son appartement.

En ai-je moi aussi pour vingt ans encore avant de pouvoir accepter ?

Au-delà de l'histoire que vous avez vécue, c'est à la fillette de neuf ans qui vit en vous à jamais que je m'adresse.

Il y a en moi, qui suis maman de grands enfants, mariée avec le même homme depuis vingt-cinq ans, une fillette qui NE PEUT PAS *grandir...*

En quête permanente d'un père idolâtré mais toujours absent, dont les rares moments de présence étaient sublimés et qui a, un jour d'été, arrêté le temps en m'amenant doucement, sans violence, vers l'inceste. Il a coupé mes racines, je ne grandirai plus jamais...

Cet été-là, celui de mes dix-huit ans, où j'aurais dû passer de mon état d'enfant fragile et perturbée à celui de femme... dans les bras d'un homme... je me suis retrouvée avec dans mon ventre un corps dont j'étais issue... Comme un film d'horreur au ralenti et à l'envers... Je ne sortais pas de son sexe... C'était lui qui sortait du mien...

Il m'avait déjà volé mon enfance, ma sécurité. J'étais sans doute la plus laide, la plus insipide, la plus inexistante des petites filles puisque je ne l'avais jamais intéressé.

Tout mon être tendait vers lui, tous mes espoirs envers et contre tout... Je voulais qu'il m'aide à grandir cet été-là, lors de nos retrouvailles...

Je n'ai trouvé pour « effacer », que de laisser tomber le fameux « rideau noir » qui m'a permis de vivre, d'agir, des années, des années... comme anesthésiée et soudain, il y a environ cinq ou six ans, le voile s'est déchiré et alors... j'ai reçu en plein visage, dans tout mon être, une telle douleur, une incapacité à vivre nor-

malement... Une violence épouvantable m'étouffait... Je n'ai pas voulu m'adonner à la boisson. Je suis tombée dans un autre excès... jusqu'à l'épuisement, jusqu'au dégoût de moi-même, mais toujours en préservant plus ou moins bien les apparences à l'aide de mensonges.

Il aurait suffi de dire non, il n'y aurait sûrement pas eu de violence... Je suis fautive. Je paye... je paye... je paye... je paye...

Je n'ai jamais parlé de cela mais mon émotion a été si forte à la lecture de votre livre, je voulais... Je ne sais pas... vous consoler... Il y a des souffrances que l'on ne peut pas exprimer et qui vous rongent...

Vos parents sont passés de l'autre côté du miroir, ce père aussi dont je ne sais plus rien, s'il est vivant ou mort.

Je vous envie votre épouvantable malheur, je vous envie ce drame que vous avez vécu parce qu'il est beau et grand. Le dévoiler au grand jour va sans doute vous aider. Non pas à guérir mais à exorciser tous les démons qui vous torturent.

Je ne vous donnerai ni adresse, ni nom, afin que vous ne vous sentiez pas obligée de me répondre.

Nous étions dans l'hiver.

Mon long tournage gai – ma cure de printemps – était terminé. Plus de rires avec mes partenaires, plus de tendre complicité avec mon fraternel metteur en scène, plus de journées garde-fous, enfin, pour me tirer de mes douleurs. J'allais me retrouver plongée dedans à plein temps, lâchée, moi et mon regret, en intimité totale.

Je ne crois pas que ce soit uniquement à cause de cette peur d'avoir à affronter à mains et tête libres les conséquences émotionnelles du *Voile noir*, mais pour la première fois je regrettais de voir arriver la fin d'un film. Pour la première fois, oui.

Certes, l'ambiance et les contacts amicaux entre tous avaient été exceptionnels, mais ce n'était tout de même pas la seule fois où je fus si heureuse de travailler. Au théâtre notamment, où les répétitions, le fait de se côtoyer des mois si la pièce marche, la nécessité de se tenir les coudes face au public quoi qu'il arrive créent des liens plus étroits et plus profonds entre les personnes, j'avais connu de grands bonheurs. Et pourtant j'étais toujours heureuse de finir...

C'est le genre de sentiment qu'il faut soigneusement cacher quand on l'éprouve. Les autres, les gens normaux – même les comédiens... – regrettent généralement que les bonnes choses se terminent. C'est humain. Ils s'attardent, versent une larme, ramassent avec de gros soupirs leurs affaires dans leur loge, détachent les télégrammes scotchés au mur et les conservent précieusement. On n'en finit pas de s'embrasser, de se promettre de travailler à nouveau ensemble.

Moi, trois jours avant la dernière, j'ai débarrassé la loge, vidé les placards, les télégrammes sont à la corbeille et je réprime, par pudeur, cette joie qui monte en moi à l'idée

... S'ils avaient vécu, vous les auriez trouvés trop ceci ou trop cela, et vous n'auriez peut-être pas mesuré toute la dimension de leur amour.

Croyez-moi, l'amour de ceux que vous touchez vaut bien celui que vous regrettez. Et qui sait, vos parents vous aiment peut-être quelque part à travers nous tous ?

Alors que tout cela soit une force pour continuer sur votre voie, pour aimer vos enfants et ceux qui vous entourent, et sachez que vous n'êtes pas une enfant abandonnée.

qu'une page va se tourner, que je vais me retrouver libre de faire autre chose, même libre de ne rien faire, que je n'aurai plus à venir là tous les soirs, tous les week-ends, astreinte extrêmement pesante à la longue. J'en ai généralement un frétillement intérieur, des nervosités dans les jambes, des rires qui m'échappent – une gosse qui part en vacances, quoi, je ne vois pas de meilleure comparaison, et qui trépigne face aux adultes tergiversant sur le pas de la porte alors qu'elle n'a qu'une envie : se tirer le plus vite possible et voir un paysage neuf. Je maquille la chose en plaisanterie : « Dis donc, quand est-ce qu'on fait semblant d'être triste ? »

Bien sûr. Partir avant que les choses, les gens ne me quittent. Voilà. Fuir. S'en aller d'abord. Ne pas connaître, surtout pas, le sentiment de perte. Ne pas trop garder de traces, de souvenirs, aussi, pour éviter d'avoir à se pencher dessus un jour. Pour être bien sûr d'éviter le pincement du regret, on flanque tout à la poubelle. On tire un trait. On coupe.

C'est violent. C'est vital.

Inutile d'insister davantage, je vois bien maintenant ce à quoi j'échappais en devançant les ruptures.

Mais cette fois j'étais complètement démunie. Je regrettais. Je n'étais aucunement pressée de rembarquer du tournage mes affaires personnelles. Je m'attardais, je soupirais. Et à la fête de fin de film je pleurai dans les bras de mon complice metteur en scène – il faut dire qu'à cette période j'avais tout de même la larme facile et que de surcroît j'avais affaire à un homme qui se laisse pleurer, c'est rare – et je fus la dernière à quitter la soirée.

Je n'ai échappé à rien.

J'étais fière de moi.

« On ne se donne plus le temps d'éprouver. » Je mettais en pratique. J'acceptais d'éprouver.

J'ai noté – d'ailleurs avec un certain agacement ! – le nombre de fois où le mot *éprouver* revient dans ce texte depuis que j'ai commencé à l'écrire. Je tombe dessus à chaque ligne, c'en est obsédant. J'essaie d'y échapper de

Tressée d'oubli et d'espoir, la corde du temps nous pend au né…

Lire le sablier à la lumière des caresses
Au reflux de l'amour, en partage de tendresse
Ombres fondues dans la nuit de l'oubli, des images
de mon enfance s'en viennent éclairer ma peau. Sage

face à cette promesse de retrouver mon histoire
j'écoute le merle du bonheur me chanter d'y croire.
De reposer ainsi dans les bras généreux
de l'ouverture, j'entends pousser le secret bleu.

Vous avez cassé les ongles noirs du désespoir,
les racines de l'humain fleurissent sous le voile noir.
Anny, vous fécondez toute absence.

Autour de quelques vers j'ai ce profond désir :
vous confier ce qu'oiseau de l'espoir va prédire.
La parole est moisson, au taire de la souffrance.

Merci pour ce que vous apportez à la vie.

Ce texte a été rédigé dans le train qui m'amenait au boulot, avant-hier matin.

temps en temps pour ne pas lasser, mais il n'y a pas foule de synonymes...

Tant pis. Il est devenu mon maître mot.

Dans les semaines qui suivirent, je me sentis vide, atone. Bizarrement, l'extrême émotivité que je subissais ces derniers temps refluait. Rien ne débordait. (Moi qui n'avais jamais eu de problème à être une personnalité publique, qui acceptais sans gêne ni joie excessive, naturellement en fait, d'être reconnue et abordée puisque c'était une conséquence de mon métier, je fus quelquefois gênée. Je me souviens d'avoir subi deux ou trois demandes d'autographes, tombées précisément après une de ces douches émotionnelles qui me fondaient dessus à l'improviste et n'importe où, et lors desquelles j'avais écrasé une larme précipitamment, planqué en catastrophe mes paupières rougies sous des lunettes noires, en pensant : « C'est emmerdant, tout de même, d'avoir à être tout le temps à son avantage ! Zut alors, je ne peux même pas avoir mal tranquille !... ») J'étais à présent calme, sans aucun sentiment violent, sans même avoir l'impression de penser, perdue dans un paysage intérieur presque désertique.

Je dormais un tout petit peu mieux, et cet état neutre était en tout cas plus pratique pour mener ma vie avec les autres. Je pouvais me laisser aller avec mes enfants, les amis et aussi les inconnus sans risquer de paraître trop mal en point.

Cette sorte d'état somnambulique nouveau n'était pas si désagréable, reposant en tout cas. Je me couchais à la même heure que les petits. Je dormais ou je ne dormais pas, aucune importance. J'attendais.

Je soupçonnais que « ça devait travailler » tout au fond de moi vers je ne savais quelle évolution, mais, à la limite de l'ennui, je me disais que c'était long.

Long et lent. Et lourd.

Parfois, de cet état proche de l'hébétude jaillissait soudain de nouveau une émotion qui me tirait les larmes, mais c'était une émotion brute que je ne pouvais attribuer à une

cause ou une pensée précise, elle venait comme ça, sans que j'aie évoqué ma mère, sans même être triste. Ça passait comme un grain. Je laissais faire docilement, j'épongeais, c'est tout – « je sais, me dit une amie qui avait perdu un être cher quelque temps auparavant, je sais, on pleure comme on saigne... ».

Je m'étais fixé cela, ne rien refouler, laisser aller sans résistance, laisser pleuvoir. Mais les semaines, les mois passaient et tout était pareil.

Que c'était long, décourageant...

Parfois, j'invectivais mes parents dans mon journal :

« Dites, si vous êtes vraiment là quelque part au-dessus ou autour de moi, vous ne pouvez pas m'aider un peu mieux ? N'avez-vous pas le pouvoir de me faire avancer plus vite, de me faire grandir enfin, de faire votre devoir de parents de là où vous êtes ? ! Vous avez lâchement pris le large et à moi tout le chemin avec ça, ce chemin qui n'en finit pas...

Bon. D'accord. C'est moi qui vis. D'accord.

C'est à moi de faire.

OK. »

J'ai aimé votre volonté de ne pas prendre parti dans les décisions qui ont marqué votre enfance et que les adultes ont cru devoir prendre.

Prêtre, je célèbre beaucoup d'enterrements. Votre livre m'a évoqué tant de souvenirs... Marie, onze ans, qui a pleuré sa révolte aux obsèques de sa maman. Que faut-il dire, que faut-il faire ? Et récemment, Maïté, vingt et un ans, tétanisée par la douleur près du cercueil de Jean qu'elle avait épousé six mois avant. J'essaie d'accueillir ces révoltes si profondément humaines, d'écouter, de pleurer avec ceux qui pleurent.

Ce que dit le prêtre est horrible pour les jeunes ainsi atteints. Il parle de vie éternelle, d'espérance, de résurrection... mais cela ne rend pas l'amour blessé, meurtri, une mère, un mari, un enfant.

Je me sens très pauvre à ces moments-là.

Pourtant je suis croyant, et je dois témoigner mon espérance en « autre chose », sans ça le Christ est mort pour rien. Et c'est terrible de vivre et de mourir pour rien.

« Faites pleurer les enfants »... Cette phrase de votre livre me travaillera encore longtemps.

Merci encore de ce récit dur comme la mort et fort comme la vie.

Page après page, je vivais vos sentiments, vos émotions, avec une grande intensité sans pouvoir m'expliquer semblable réaction. M'efforçant de ne lire qu'un chapitre chaque jour, j'avais hâte de vous retrouver chaque soir.

Je suis incapable de mettre par écrit tout ce que je ressens, et ne sais comment vous dire... quoi... ma gratitude ? Vous remercier de quoi... d'avoir perdu vos parents et d'avoir su nous faire vivre ce deuil commencé et entrepris ?

Ce serait déplacé, choquant. Et pourtant je vous dois quelque chose... Vous m'avez donné quelque chose que je n'arrive pas à exprimer... excusez-moi.

J'ai cherché des traces de Dieu, une évocation dans votre livre. Vous n'en parliez jamais. Je me disais « de toute façon, devant une telle souffrance intime, la découverte d'un Dieu juste, d'un Dieu amour, est impossible ».

Finalement, vous avez nommé celui que j'attendais dans un des tout derniers chapitres, et me semble-t-il, un peu comme je l'avais supposé... Un Dieu qui permet l'inacceptable n'est pas Dieu. Et pourtant s'il y a une réalité à laquelle je crois et qui me porte dans une vie de moine voué depuis trente-cinq ans à la quête de Dieu et à l'amour des hommes, c'est bien la souffrance de Dieu, sa vulnérabilité, son impuissance devant le libre choix de l'homme.

Si j'avais pu exprimer au mieux mon sentiment, je vous aurais offert une fleur, en silence, sans un mot...

Un soir, je me rendis à une fête.

C'était une fête gaie, tendre et, dans le fond, grave aussi. L'ami dont je parle à la fin du *Voile noir*, mon parrain en orphelinat et en deuil, célébrait avec son épouse leurs cinquante ans de mariage.

On leur avait prêté une maison avec un jardin pour la circonstance. A part eux, je ne connaissais pas grand monde. Des amis de leur génération, de la famille aussi, donc beaucoup d'êtres blessés à l'époque de la dernière guerre parce que juifs – beaucoup de survivants, en somme.

Je bavardais avec certains de leurs amis et, de temps en temps, me retrouvais seule dans mon coin, mais je n'avais pas envie de partir. J'étais apparemment un peu « décalée » dans cette réunion, et pourtant il y avait une concordance entre mon état calme, atone, ma douleur en moi comme un écho lointain, et l'ambiance de cette soirée. Je me sentais heureuse d'être là en même temps que faible et résignée, et autour de moi nul éclat de voix, pas de manifestations de joie bruyante et désordonnée. Des rires, oui, mais cette qualité particulière des rires coupés court des gens qui en ont trop vu, qui gardent dans la tête et le cœur des images, des souvenirs qui tempèrent et approfondissent à la fois les moments joyeux. On est heureux avec attention et précaution. On profite du beau temps et de la douceur du jour sans oublier les orages dévastateurs venus en d'autres temps et sans oublier surtout que nul horizon n'est si dégagé qu'il ne puisse y resurgir la noire menace meurtrière.

Une femme aveugle, plus habituée des cantiques et de l'harmonium, chantait du jazz avec un pianiste ami. Puis un autre dit un texte écrit en l'honneur du couple. On joua du violoncelle. Et tandis que tous étaient regroupés pour écouter le musicien au centre du grand salon qui donnait

…J'ai toujours eu l'impression que vous étiez « posée et sereine ». Maintenant je comprends que vous étiez en retrait.

Il ne faut pas.

Soyez complètement vivante et AVEC *ceux que vous aimez, qui vous aiment. Cela ne sert à rien de vivre avec des regrets, avec des* REGRETTÉS *; plus tard, vous « regretterez » de n'avoir pas complètement et pleinement vécu votre présent et profité de la* PRÉSENCE *des vôtres.*

Pardon d'être aussi moralisatrice. D'habitude, j'ai plus d'humour, mais là, je ne peux pas.

Permettez-moi de vous embrasser bien affectueusement.

sur le jardin, je surpris un regard entre mon ami et son épouse, lui sur la terrasse, dans l'encadrement de la porte ouverte, elle tout au fond de la pièce, à quinze mètres l'un de l'autre. Un long regard fixe, sans autre démonstration, sans sourire, un regard nu qui passait au-dessus des amis, du moment, de la musique, contenant et résumant l'un pour l'autre cinquante ans d'amour.

Je me réchauffai à ce regard.

Vers la fin de la soirée je me trouvais assise sur un canapé au fond de la grande pièce désertée quand un homme d'une soixantaine d'années se planta à deux mètres de moi et se mit à me parler, à me dire des choses de sa vie, de son histoire.

Il me dit que je l'avais déjà rencontré mais qu'il m'était probablement impossible de le reconnaître car je l'avais vu costumé en clown, juché en haut d'une armoire pour y accrocher un accessoire, dans l'école maternelle de ma fille où il allait faire un spectacle. C'était son métier. Il faisait rire les enfants.

Il avait lui-même un visage juvénile, de grands yeux bleus et des cheveux gris bouclés en couronne autour du visage, lumineux.

Il savait ce que j'avais écrit. Il me dit qu'il avait fait un livre, lui aussi, mais qu'il ne serait jamais publié... Après avoir espéré pendant quarante ans l'hypothétique retour de parents disparus dans les camps, sans vouloir vraiment SAVOIR, fuyant l'information précise pour se garder l'infime mais vivace espoir qu'ils aient pu s'échapper, eux seuls parmi des milliers, mais sait-on jamais, qu'ils soient encore quelque part sur cette terre, amnésiques, infirmes peut-être, ne réapparaissant pas pour une quelconque raison mais VIVANTS, il avait fait le pas. Tous les pas. Il a recherché, il a su. Il a fait le voyage en emmenant ce qu'il avait écrit. A l'entrée du camp, il a lu les noms sur un registre. Puis, son livre dans les mains, il a été voir le tas de cendres, restes indistincts de centaines de corps, dont ceux qui lui avaient donné la vie, et il a jeté le livre dessus.

Comme vous doutiez de la finalité de votre livre, je doute de l'utilité de cette lettre.

J'ai dix-huit ans, je suis étudiante et je sais maintenant, je sens que si j'en suis là aujourd'hui, avec tout l'avenir devant moi et des souvenirs tous plus beaux les uns que les autres dans la tête, c'est grâce à eux, mes chers parents, mes très chers parents... Alors, merci.

J'ignorais, je ne voulais pas voir la place qu'ils occupent dans ma vie. Je me refusais à les reconnaître. Mes parents étaient mes souffre-douleur désignés, ils étaient des étrangers gênants à éviter, ou pire, à haïr. Ils n'existaient pas.

J'ai lu votre livre. Comme tout le monde j'ai été émue et bouleversée tant votre douleur et votre courage sont grands.

Mais plus que tout, votre témoignage hurlant m'a éclaté à la figure, une petite bombe savamment dosée, votre témoignage m'a flanqué une vraie gifle.

Ce vers quoi désespérément vous tendez, je l'ai sous les yeux, je le côtoie jour après jour. Alors qu'après trente-cinq ans de séparation vous ne pouvez toujours pas vivre sans eux, moi comme une enfant gâtée qui casse tous ses jouets, je les évince, tout en sachant pertinemment qu'au moindre petit bobo, ils sont là. Après avoir lu votre livre, c'était un devoir moral impérieux de voir mes parents avec d'autres yeux plus responsables...

Alors, merci, Anny, merci du fond du cœur. Tout ça va vous paraître dérisoire. Veuillez m'en excuser. Néanmoins, ce qu'à travers votre livre vous m'avez donné – l'amour de mes parents – est inestimable.

Je l'écoutais. Il me parlait de sa vie, de cette douleur insidieuse qui dévore, qui coupe des autres, et comment, au bout du compte, à refuser si obstinément la mort, reste la solitude. La solitude et faire rire les enfants.

Je le regardais, bouleversée. La solitude, oui. La solitude intime qu'en désespoir de cause, ne voyant pas le bout du chemin malgré mes efforts, je me préparais à accepter comme inéluctable...

Nous nous tûmes un long moment. Assise sur mon canapé, je le regardais. Il était resté à la même place, debout devant moi, perdu dans ce grand salon, comme quelqu'un d'un peu emprunté venu délivrer un message et qui ne pense pas à se mettre à l'aise. Il était, ce qu'il avait à dire étant dit, ses grands yeux innocents écarquillés dans le vide, pensif sans être triste, clair.

Il dit : « C'est comme ça... »

Puis il ajouta : « C'est terrible, les orphelins. Ça n'accepte rien et en fait ça veut TOUT. »

Chère Anny,

En arrêt, oui, c'est bien cela, je suis tombé en arrêt devant la première photo de votre livre, où, depuis le toit d'une église, le regard se perd (et se retrouve aussi), se fige d'emblée devant le calme étrange d'une ville intemporelle. Et tout de suite cette impression vague : je l'ai déjà vue, cette « pincée de tuiles » froides, j'ai déjà eu ce pincement au cœur. Pourquoi ?

Je suis troublé et j'attaque le livre. Et j'écoute, je vous écoute. Et je regarde les images d'un autre temps et je me dis : mais c'est à moi, c'est mon enfance ! Cette lumière, ces arbres, ces routes, sont ceux de mon enfance... Ces quelques brins d'herbe piqués dans la neige sombre d'un cimetière carcéral ont poussé au travers du glaçage en blanc et noir de mes tout premiers hivers... C'était au début des années soixante.

Comme lorsqu'on dépose, près de la chaleur oubliée d'une antique cuisinière, ses gants de laine tricotés, je hume ces photos de neige, d'ombres et de lumière, je vous regarde, petit bonhomme de neige perdu dans l'immensité du temps passé, je vous écoute et je reconnais ce que vous dites. J'aurais pu être votre petit cousin d'Alsace avec ma petite casquette blanche, et, l'hiver, mes moufles. Et je me plais à l'imaginer ; ceci pour vous dire combien je me sens chez moi chez vous, combien la femme « décidée » que vous êtes a pu être la petite fille que l'on ne rencontre guère qu'aux abords éteints d'une table de communiante...

Pardonnez-moi s'il vous semble que je suis un peu familier, mais qu'y puis-je ? Permettez-moi encore de vous dire merci de n'avoir pas laissé au fond

du tiroir ces photos, et au fond du cœur ces mots.
Je suis votre obligé, pour le cadeau inestimable que vous me faites d'un peu de mon enfance.
Madame, portez-vous bien, s'il vous plaît, et aimez vos enfants.

*

Les photos de votre père sont belles – belles par le double échange d'un père qui aime sa fille « à retardement » dans son regard photographique, et de la petite fille qui tente d'en saisir le moindre indice, par votre regard à la recherche d'un détail qui pourrait déchirer le voile noir.
En somme vous venez d'inventer l'amour rétroactif grâce à la photographie. Belle consolation, me direz-vous !
Bonne vie.

Je vous prendrais bien comme mère…

Il n'est pour moi de plus grand luxe que de pouvoir s'offrir quelques jours de chaleur au plein cœur de l'hiver.

Pour les vacances scolaires nous allâmes donc en famille dans un petit hôtel en Casamance, la plus jolie région du Sénégal. J'avais découvert ce pays quelque dix ans plus tôt et j'y étais revenue régulièrement, toujours au même délicieux endroit, le couple d'hôteliers devenu ami.

Je me suis souvent demandé pourquoi, dès que j'avais débarqué là-bas, dans cette Afrique que je ne connaissais pas, il m'avait été évident que je reviendrais. Une corde secrète avait vibré en moi pour des raisons inconnues et je me sentais en pays familier, chez moi, là, bien plus que dans certaines contrées occidentales et culturellement plus proches. Non, je ne sais pourquoi j'ai aimé la Casamance dès que j'y ai respiré. C'est ainsi.

Chaque départ là-bas était une fête, moins un voyage dépaysant qu'une sorte de retour vers un accord inexplicable mais puissant.

J'embarquai donc dans l'avion avec cette perspective et m'aperçus rapidement, arrivée sur place parmi les filaos et les bougainvilliers, alors que les enfants retrouvaient la mer avec des hurlements de joie, que l'on transporte infailliblement ses malaises avec soi. Il n'est pas de miracle à attendre du soleil en hiver, des oiseaux à ventre bleu sur le seuil d'une paillote quand on porte un nœud de froid au cœur.

J'étais en décalage. Je regardais de tous mes yeux mes enfants heureux, j'étais entourée de cette beauté, de cette chaleur des habitants du pays, mais un mur subtil me maintenait éloignée de tout ce qui me comblait habituellement. Je pense que personne ne s'en apercevait à part moi-même. C'était juste un voile léger mais infranchissable – mon regret immuable qui m'empêchait de réellement toucher les

Je suis encore dans l'émotion de cette double découverte, votre texte, les photos de votre père, comme elles se répondent dans une même vitalité. Les mots me manquent, mais je dois les jeter sur une feuille sans trop tarder…

J'ose même penser – me le pardonnerez-vous ? – que vos parents ne sont pas morts pour rien et même qu'ils EXISTENT *désormais plus que quiconque par la grâce de ce livre.*

*

Que de bonheur aussi dans la plénitude des photos.

Comme ils étaient beaux vos parents, comme ils avaient l'air heureux ! Et la beauté n'est-elle pas une somatisation de l'amour ? Vous n'avez pu qu'être envahie, éblouie par ce bonheur, et comme ils ont dû vous aimer…

choses, ma solitude avec EUX devenue tangible. Une sorte d'auto-mise en quarantaine...

Qu'importe, le bonheur des miens me rassurait. Au moins ce poids était pour moi seule. A moi de me débrouiller avec – mal, pour le moment, mais on peut toujours espérer. Les gambades, les rires et les câlins de mes enfants m'étaient un baume apaisant. Habitués de cet endroit depuis l'âge où ils portaient encore des couches ils étaient là chez eux, jouant, courant comme des fous dans les allées pleines de fleurs.

Quelqu'un me fit la réflexion que j'entends chaque fois que nous partons en vacances :

« Ne nous dis pas que tu as ENCORE oublié les appareils photos ?!

– Ah zut ! si... Tant pis, les plus beaux souvenirs, on les a dans la tête. »

« On les a dans la tête », avais-je dit... Comme je l'avais dit des dizaines de fois sans réfléchir.

Un des premiers jours, je fis une longue promenade seule au bord de l'eau, sur cette immense plage qui aboutit à la frontière de la Guinée. Je me mettais en accord avec le soleil, la douceur de la température. Je marchais sans penser à rien. Je me détendais. Puis, tout à coup, une évidence me tomba dessus. Petit éblouissement qui me cueillit entre deux pas, et j'oserai dire presque un pied en l'air tant ce fut instantané.

Ceci m'est arrivé plusieurs fois depuis que je me suis attaquée au drame de ma vie. Généralement dans un moment d'abandon, quand le corps est occupé à une action purement physique et machinale, me sont apparus tout à coup clairement, ramassés en une seule vérité simple, des détails, tout un enchaînement de réactions qui m'étaient à moi-même inexplicables. Que ce qui pose question depuis des années, même vaguement, quelquefois sans liaison raisonnable, s'assemble ainsi d'un seul coup laisse une impression extraordinaire. C'est si soudain, comme un voile levé, une transparence qui révèle en un éclair tout un enchaînement opaque de causes et de résistances floues, qu'on s'arrête

J'ai suivi le chemin de vos mots, si justes, et j'ai cherché…

Depuis que j'ai refermé votre livre, je revois la dernière photo. Vous êtes sur le chemin, un peu plus bas. Vous montez, lentement, vous arrêtant parfois, vous retournant souvent. Quand vous êtes en haut, au milieu de la courbe, si douce, vous savez que le temps est venu, d'accepter…

quelques secondes de bouger, saisi par ce flash dans la tête.

Ce jour-là, je compris subitement pourquoi j'oubliais toujours les appareils photos. Pourquoi je ne faisais plus, ou quasiment plus de photographies depuis la naissance de mes enfants. Les trois ou quatre premières années du moins, car ensuite je me forçais à en faire de temps en temps. Mais quelque chose en moi rechignait et les appareils restaient souvent dans le placard et parfois posés par terre au milieu de la pièce, dans leur sac, prêts à être emportés, et « oubliés » comme par hasard au dernier moment – « Ah zut ! J'ai encore laissé les appareils... ».

Avant leur naissance, en effet, je faisais beaucoup de noir et blanc, je passais des heures dans une salle de bains aménagée en labo rudimentaire pour effectuer mes tirages. J'ai tout stoppé d'un seul coup.

Certes, le temps et l'attention que réclame un nourrisson pouvaient expliquer que je délaisse ce qui n'était, malgré mon goût très vif pour la photographie, qu'un passe-temps. Mais ce n'était pas la seule raison. D'ailleurs, cette désaffection pour la photo durait et quelques amis s'en étonnaient : « Qu'est-ce qui se passe ? Toi qui avais toujours un appareil à portée de la main...

– Je ne sais pas, répondais-je, c'est comme ça. Ça m'a quittée. »

C'est le mot le plus juste, oui. Sans décision ni rejet conscient de ma part, l'envie de faire des photos m'avait quittée.

Quelquefois des relations, connaissances du métier ou autres, demandaient à voir un portrait de mes enfants. Il fallait alors bien avouer que je n'en avais pas sur moi, jamais. Consternation en face. On me regardait, incrédule – a-t-on jamais vu une mère ne pas avoir sur elle une petite photo de ses bébés ? En riant, on me traitait de mère indigne.

A la longue, j'avais honte. Je me forçais à tirer des appareils du placard, je faisais une série de pellicules, je mitraillais sous toutes les coutures une réunion de famille,

et zou ! j'en envoyais des exemplaires à tout le monde.

Déculpabilisée, je remettais les appareils dans la commode pour un bon bout de temps – côté placard de la commode-sarcophage, juste à proximité des tiroirs où étaient restées à dormir dans l'ombre pendant des années les photos de mon père...

Et, brusquement, sur cette plage l'enchaînement m'est apparu, l'évidence dévoilée, toute simple.

« Les plus beaux souvenirs, on les garde dans la tête... », avais-je coutume de dire, moi qui ne me souvenais de rien, d'aucun détail de mes premières neuf années, qui avais scruté les clichés de mon père pendant trois ans sans parvenir à rien me rappeler de ma vie avec mes parents.

En deux ans d'écriture, penchée jour après jour sur ces photos, il ne m'est rien revenu. Rien. Pas le souvenir d'un geste, d'une parole, d'un seul moment passé avec eux, même fugitif. Tout ça mort, figé en images devant moi. Et cette petite fille qui souriait pour toujours dans les bras de son papa sur une plage normande... Et moi adulte, regardant cette petite fille que j'avais été, regardant la preuve que tout ceci avait réellement existé et ne me souvenant ni de la plage, ni du père, ni de la mère qui avait pris la photo et que je regardais alors. Tout ce bonheur balayé, volatilisé. Et se sentir plus dépossédée, plus pauvre encore d'en avoir la trace sous les yeux.

Et j'aurais accumulé de gaieté de cœur de semblables traces d'un bonheur qu'un instant peut réduire à néant ? Figer à mon tour les visages, les plages et les sourires, petits bouts de pellicule peut-être un jour « oubliés » dans d'autres tiroirs et, qui sait, ressortis par mes enfants devenus grands, images froides et douleur brûlante, preuves irréfutables que tout meurt et s'efface ? Comment aurais-je pu, une fois née ma continuité sur terre, appuyer innocemment sur un déclencheur, comme tout le monde ? Comment n'aurais-je pas, moi, en toute bonne foi, régulièrement oublié les appareils photos ?

Je me suis arrêtée de marcher un instant, juste le temps

de recevoir, d'en être un peu éblouie et d'assimiler cette clarté soudaine. Puis j'ai continué ma promenade.

Je respirais bien. Je souriais presque – du moins intérieurement je me sentais sourire. Ce que je venais de comprendre n'avait pas une énorme importance, mais le déclic, cette douce fulgurance était toujours si surprenante que j'en restai un temps étonnée, presque amusée. Oui, il y avait de cela – une sorte d'amusement à voir surgir une explication dans sa tête comme un lapin d'un chapeau.

J'ai été jusqu'au bout de la plage. Puis je suis revenue. A mi-trajet du retour je savais que je n'oublierais plus les appareils. Du moins, je me le promis.

Je ferais des photos. J'accumulerais les preuves, les images témoins, dussé-je me forcer un peu.

A regarder les photos de mon père, puis à écrire avec elles, j'avais éprouvé une grande souffrance, je ne savais pas encore où tout cela allait me mener, mais c'étaient elles qui m'avaient guidée.

Mes enfants auraient peut-être besoin de mes photos un jour. Sait-on jamais.

Il faut aller plus loin, plus haut, plus beau… Il faut oser aller jusqu'à la Révélation complète. Transformer tout le négatif en positif.

Quelle symbolique : ce parallèle entre les négatifs de photos que vous a laissés votre père, et cette mort qu'il vous a laissée sur les bras. Elle est aussi un négatif que vous devez révéler en lumineuse image.

Ce travail est un travail de transmutation alchimique intérieure de même ordre que le travail de l'artiste photographe. Celui-ci, plongé dans l'obscurité, *va réussir à transformer ce qui était* invisible et négatif *en une image* pleine de vie.

La mort, non une fin en soi mais le passage *d'un monde de* vibrations denses *à un autre monde de* vibrations plus subtiles, *plus éthériques donc non perceptibles au commun des mortels.*

Cependant, ces vibrations subtiles sont, pour nous, nourriture de l'âme. Elles nous apportent harmonie, paix, bonheur intérieur, élévation quand nous acceptons de les recevoir.

Il nous suffit d'Accepter, d'Ouvrir nos « fenêtres » intérieures, de nous laisser imprégner par tout cet amour immense que les Êtres de lumière *envoient sur notre terre.*

Vos parents sont là, au-dessus de vous.

Ils vous aiment d'un amour supérieur, non possessif. *Tant que vous désirerez les avoir là, les toucher, les posséder pour vous, leur reprocher cet abandon, vous ne réussirez pas à recevoir leur amour qui est plénitude.*

Ils sont morts. A ce moment-là s'arrêtait le sens de leur incarnation.

Il est normal que la petite fille en vous n'accepte pas, se rebelle, hurle sa douleur...

En même temps, l'être que vous êtes possède en lui toute la dimension intérieure pour transcender cet événement initiatique.

La mort vous attire comme source de bonheur retrouvé.

Vous seule savez *que vous pouvez faire fleurir magnifiquement le sol stérile d'une cave obscure malgré toutes les négations que vous envoie votre entourage.*

Au plus profond de votre être intérieur, votre âme sait que la mort est pleine d'OR *et n'est que passage dans l'intérieur de la terre en hiver dont a besoin la graine pour germer et grandir, et s'épanouir, et ÊTRE.*

Nous devons mourir pour être dans notre pleine dimension.

Tout abandon est douloureux.

Huit jours de vacances passèrent. Mes enfants bronzaient, je les voyais jouer dans la mer toujours remuante des côtes du Sénégal. Je les regardais vivre leur enfance, moi cherchant à régler mes comptes avec la mienne.

Je me sentais très faible, fragile, perdue dans cet écheveau d'émotions, de courants entre présent et passé, embarquée dans ces méandres apparemment inextricables et qui, je le sentais, reliaient pourtant leur enfance joyeuse à celle que j'avais perdue. J'étais toujours en décalage avec la douceur du temps, toujours un peu spectatrice, un peu frileuse au soleil.

En décalage je l'étais aussi quelquefois sur l'horaire du petit déjeuner commun, car, dormant toujours très mal, je ne sombrais vraiment dans le sommeil que vers cinq ou six heures du matin. Je débarquais sur le tard à la plage, comme un hibou perdu en plein jour.

C'est un de ces matins où je m'étais si tardivement endormie que je fis un autre rêve – un rêve choc qui m'impressionna fortement sur le moment, bien sûr, mais qui prit une grande importance par la suite, car il avait non seulement valeur de symbole mais aussi de révélation. C'est là qu'entrent en jeu les lettres que certains d'entre vous m'ont envoyées et qui l'ont éclairé d'une signification qu'il n'aurait jamais eue à mes yeux sans cela.

Mais je ne veux pas devancer les choses...

Le décor de ce rêve était simple. Je dirais même d'une simplification absolument théâtrale :

Un intérieur très sombre, le dehors lumineux et, entre la lumière et l'ombre – la vie, la mort – UNE PORTE. Une porte énorme, qui tenait un rôle capital : la porte d'une chambre à gaz. Et, à part elle, deux autres protagonistes, ma fille et moi.

Votre cri de détresse m'a remuée aux tréfonds.

Des « remords » ? N'avoir pas eu la réaction, le geste sauveur ? Cela arrive à des adultes tous les jours. Ils le gèrent mieux car ils ont l'expérience de la fatalité. Mais un pauvre petit bout de chou de neuf ans qu'on abandonne dans une telle interrogation...

Et d'abord ce sommeil bizarre qui la reprend, un dimanche matin, alors qu'elle a bien dormi et qu'une fête se prépare. L'air n'était-il pas vicié à l'étage et ne serait-ce pas la cause de ce retour du sommeil ?

L'angoisse-remords... La Normande que vous êtes (moi aussi) avait l'atavisme (pour être modernes, disons les « gènes ») du travail bien fait, « la belle ouvrage » – derrière vous des générations de laitières-fromagères pour qui la propreté à l'eau froide et aux orties (car l'eau chaude cuit la crème) était la raison de vivre, « fallait pouvoir manger par terre su'l carreau de la laiterie... ».

Le « voile noir » que vous tirez sur votre détresse, il est bien normand, lui aussi – « vaut mieux faire envie que pitié », disait ma grand-mère. On ne se plaint pas, on assume, par courtoisie innée vis-à-vis de l'entourage. Les Anglais nous l'ont empruntée depuis neuf siècles et demi. Les stoïques de l'Antiquité camouflés sous l'humour, même noir.

La blessure secrète qui se rouvre de temps à autre il faut la garder précieusement. Comme les petits ânes du Pakistan qui avancent surchargés et ne s'endorment pas parce que leur maître laisse ouverte à la cuisse une petite plaie que la courroie frotte en marchant...

Bon courage, amie.

Il n'est pas très étonnant que mon inconscient ait choisi ce décor-là pour mettre en scène à la fois un des nœuds de ma vie et mon souci actuel vis-à-vis de mes enfants, particulièrement ce que je ressentais par rapport à ma petite fille.

D'abord l'asphyxie, l'empoisonnement par le gaz, est logique puisque mes parents sont morts ainsi. Mon ami très cher, aussi, est juif (au fait, il s'appelle Maurice – après avoir commencé à marquer les dates, je pourrais peut-être aussi écrire les noms), et j'avais quelquefois plaisanté avec lui d'une manière très noire sur le côté stupidement domestique, le peu de signification historique d'un minable chauffe-eau meurtrier par rapport à une chambre à gaz... Puis j'avais lu peu de temps avant, et cela m'avait frappée, que dans certains camps de concentration des enfants avaient été forcés d'assister à l'entrée de leurs parents dans ces fameuses chambres de mort et qu'aucun d'eux n'avait pleuré. Ils avaient tous regardé faire sans un cri, sans une larme, figés.

Toujours est-il que ce matin-là, endormie très tardivement après une nuit d'insomnie, je vécus ceci en rêve : ma fille et moi étions debout dans la lumière, nues, sans nous tenir la main, juste l'une à côté de l'autre, regardant toutes deux cette porte ouverte sur une pièce sombre. Je ne voyais personne autour de nous, pas de tortionnaires, pas d'autres condamnés, et pourtant je savais que c'était une chambre à gaz, que je devais entrer là et laisser ma petite fille à l'extérieur.

Emplie d'une détresse et d'une souffrance indescriptibles, j'exécutai l'ordre que j'avais reçu – ordre non formulé, venant de je ne sais où, mais indiscutable. J'obéissais, c'est tout. Il n'y avait rien d'autre à faire.

Sans la regarder, sans la toucher, intérieurement déchirée, sans rien dire, je laissai ma fille et je passai la porte pour entrer dans la pièce sombre.

Le sol était en ciment rugueux. J'en sentais le froid, la granulation sous mes pieds, et j'en voyais un bout devant

C'est drôle, lorsqu'on parle d'enfants orphelins, ma première pensée est souvent pour la morte, leur mère. Je me sens très triste pour elle. Je ressens ce regret, cette tristesse : elle est privée de ses enfants.

moi, éclairé par la lumière qui venait de l'ouverture de la porte. Je la passai.

A l'intérieur je ne vis pas de murs, pas de fond, c'était tout noir et je ne me rendais pas compte de la grandeur de cette pièce. Mais quand une fois entrée de six ou sept pas je me retournai vers la porte, je sentis qu'elle était immense, un espace énorme derrière moi, et aussi qu'il y avait des gens massés dans l'ombre. Je ressentais leur présence silencieuse même si je ne pouvais pas les distinguer, moi seule étant encore faiblement éclairée par la lumière de l'extérieur.

Et je savais qu'on allait fermer cette porte, j'allais me retrouver dans le noir, partir vers la mort. Et elle était là-bas, ma petite, de l'autre côté mais encore accessible, et je ne la voyais plus, je ne l'entendais pas, elle ne disait rien.

Je souffrais au-delà du possible de la laisser, sans pouvoir rien exprimer. C'était une douleur de tout mon être, une amputation.

Et, tout à coup, juste au moment où je savais que la porte allait se fermer, ma petite fille jaillissait dans l'ouverture, se précipitait vers moi et se jetait dans mes bras.

Oh, le bonheur ! Le bonheur fou, instantané, de se sentir d'un seul coup réunies, d'avoir son petit corps chaud collé au mien, indissociable, respirant du même souffle, battements de cœurs jumeaux !

Je la tenais étroitement serrée contre ma poitrine, sa tête posée sur mon épaule gauche, son visage tourné vers l'extérieur, son petit corps le long de mon ventre. Elle laissait pendre ses jambes et je sentais ses cuisses contre les miennes et aussi les ongles de ses pieds buter à un endroit très précis de mes tibias.

Nous restions ainsi, immobiles, baignant dans le bonheur d'être ensemble, nous « parlant » d'une manière muette par ce frémissement d'amour qui circulait entre nous au niveau de nos poitrines siamoises.

Que m'importait de mourir, maintenant, elle était avec moi. Je sentais son désir aussi, son consentement, son bon-

heur de rester là, calme, sans bouger, ensemble. Et puis la porte a commencé à se fermer. Très lentement, je voyais l'espace de lumière décroître, décroître...

Au moment où elle allait se fermer, où il n'y avait plus qu'un petit passage, j'ai arraché ma fille de moi et je l'ai jetée au-dehors en criant : « Sauve-toi, je t'aime ! »

Je n'ai pas eu le loisir de voir la porte se fermer entièrement, c'est la sensation d'arrachement qui m'a réveillée. Et c'est réveillée, heureusement seule dans ce bungalow où je m'étais endormie si tard, que j'ai vécu l'horrible suite de cet arrachement.

J'ai dû mettre une bonne heure à me calmer. Et pendant ce temps j'étais assaillie par les plus grands doutes sur l'issue positive de ce rêve – je souhaitais être assez forte pour jeter ma fille de l'autre côté de la porte, vers la vie, mais aurais-je jamais le courage d'un pareil geste ? J'avais certainement triché avec moi-même, ça faisait trop mal, je n'en aurais pas été capable dans la réalité. Comment résister ? Ma fille chérie, mon petit double, mon amour avec moi dans la vie ou la mort...

Et, bien sûr, je pensais à ma mère, qui m'avait appelée plusieurs fois pour venir dans la salle de bains mortelle, alors qu'elle avait déjà fermé la fenêtre, que l'oxyde de carbone commençait à se concentrer. Et moi qui n'étais pas venue, qui ne m'étais pas précipitée vers elle...

Avais-je choisi la vie CONTRE ma mère ?

Et si, dans le fond, tout au fond du plus obscur d'elle-même, elle avait souhaité que je meure avec elle, aurait-elle eu un sursaut pour rouvrir cette porte que j'ai trouvée fermée et me pousser dehors ?

Quand je sortis de là, en plein soleil, ayant vérifié que mon visage n'était pas trop marqué, je divaguai un temps dans les allées. Sortir de l'ombre glacée de cette chambre à gaz, de cette violence d'émotion au goût de sang, et débarquer dans la chaleur et le chant des oiseaux était d'une douloureuse incongruité. Jamais fleurs ne me parurent plus exotiques.

Vous dirai-je que j'ai hésité à vous écrire !

Pourrai-je vous convaincre ? Pourrai-je réparer une grave injustice vis-à-vis de votre mère ?

Vous soupçonnez votre mère de n'avoir pas essayé d'ouvrir la porte de la salle de bains mortelle pour se sauver ! Quelle erreur ! Pensez-vous sincèrement qu'une jeune femme ayant toute la vie devant elle (eh oui !) mère de deux fillettes, bien mariée à un homme qu'elle aime, puisse commettre ainsi l'irréparable ?

Je n'en crois rien. Rien, strictement rien, à la lecture de votre ouvrage, ne démontre qu'elle fût malheureuse à ce point. Triste parce que coupée du clan maternel, loin de la « lionne », certes, mais ce n'est pas le bout du monde, même dans les années cinquante.

Votre mère avait un époux délicat, artiste, probablement aimant. Non, madame, il ne me semble pas possible que votre mère ait laissé faire, ait renoncé, vous ait abandonnées. Si elle n'est pas sortie de cette maudite pièce, c'est qu'elle ne l'a pas pu, le poison sournois, inodore et incolore avait fait son œuvre, le cerveau engourdi ne réagissait déjà plus, mais ne sortait-elle pas vers vous ?

Je ne sais si j'aurai pu vous convaincre. Mais l'idée que vous exposez me semble une énorme injustice. Je me devais de vous en faire part, votre maman ne méritait pas cela, même si elle vous a laissées orphelines.

C'était bien malgré elle !

Pauvre petite fille de huit ans et demi qui, pour ne pas souffrir l'inacceptable, préfère endosser la culpabilité plutôt que la douleur. Et qui n'arrête pas de penser qu'elle devrait être sous la terre avec ses parents. Qui se sent même la terre accueillante et bienfaitrice : tels les iris qui poussent sur sa tête et s'en nourrissent.

Vous n'êtes pas l'enfant qui n'a pas grandi, Anny, vous voulez être la mère nourricière de vos parents, à travers la mort (je prends le mot au sens symbolique). Et le monde à l'envers, c'est dangereux.

Sur la plage, je subis à un point extrême le sentiment de décalage. On me plaisantait sur la longueur de ma nuit. Je m'appliquais à rire légèrement, pas trop, la tête discrètement tournée vers ma serviette.

En allant me baigner, je cueillis un enfant au passage, puis l'autre. Bisous, câlins. Vite échappés de mes bras, ils couraient devant moi vers la mer. Je regardais leurs petits corps sauter dans les vagues, luisants. Mes enfants, mes amours, qui seraient sans doute encore vivants quand moi je serais dans l'ombre...

Plus tard, sous couvert de me bronzer le dos, je me laissai pleurer, le visage enfoui dans mon drap de bain. Ça coulait tout seul, sans douleur, sans contraction. Je pleurais comme on soupire profondément. Je respirais dans l'amour de ma mère. Je me laissais aller comme je l'aurais fait contre elle.

Vers la fin du jour, je me sentis très bien.

J'acceptais d'être en décalage. Il n'y avait pas à lutter. J'étais avec ceci et avec cela. Au soleil et l'ombre au cœur, mère heureuse et petite fille déchirée. C'était comme ça. J'avais un pied dans l'ombre et l'autre dans la lumière, une sensibilité en pont entre mes morts et mes enfants. C'était ma vérité, il n'y avait qu'à la vivre.

Tout était à vivre.

Puis, rentrés à Paris, quelques semaines après, un détail. Juste un détail.

J'allais un soir prendre un bain avec ma fille, c'était son tour – mes enfants, comme tous les frères et sœurs, tiennent un compte méticuleux des privilèges qui leur sont accordés –, et nous nous déshabillions toutes les deux dans la pièce attenante à la salle de bains.

J'étais prête la première et me dirigeai vers la baignoire surplombée d'un énorme dôme de mousse.

J'allais m'y plonger quand ma fille m'appela : « Attends ! » Je m'arrêtai. « Viens là », me dit-elle. Et elle sauta dans mes

bras, posa sa tête sur mon épaule gauche, visage tourné vers l'extérieur, son corps le long du mien, ses jambes pendantes contre mes cuisses. Exactement comme dans mon rêve.

Je la tenais étroitement serrée et elle resta ainsi sans bouger, en silence, pendant au moins quinze ou vingt secondes – c'est long pour une petite fille qui ne tient pas en place.

Jamais elle ne s'était mise contre moi de cette manière. Surprise, je retrouvai l'exacte sensation, l'exacte position qu'elle avait dans ce rêve. Sa joue contre la même épaule, les mêmes battements de cœurs jumeaux. Et, à sentir les petits ongles de ses pieds au milieu de mes tibias, j'ai pensé : « Tiens, je ne m'étais pas trompée, c'est exactement là... »

Après ce long temps immobile, elle releva la tête, me regarda, puis se libérant de mes bras, elle sauta à terre en disant : « Voilà ! » – l'un de ces « voilà ! » tranquilles et péremptoires qui ponctuent la satisfaction du devoir accompli, la bonne chose faite. Puis elle courut se plonger dans la mousse.

C'est tout. Juste ça. Un moment aussi magique et fragile que les bulles de savon que nous faisions voler ensuite au-dessus de nous dans la baignoire.

J'ai lu des dizaines, centaines ? de livres. Certains m'ont émue, chavirée, bouleversée. Je n'ai jamais eu l'envie, ni même l'idée d'écrire à l'auteur. Il m'avait donné mon content d'évasion, d'émotion ou d'information. Nous étions quittes.

Jusqu'à présent, un seul livre m'avait laissé un sentiment analogue à celui que je ressens après avoir lu le vôtre. Il s'agit du journal d'Anne Frank.

J'ai quarante-sept ans, deux enfants qui sont toute ma vie. Mes parents. Tout va bien, donc. Je n'ai pas pleuré en lisant votre livre et cette envie de vous écrire ne m'est venue qu'en arrivant aux dernières pages.

C'est trop vrai. Ça fait mal partout. C'est comme un journal intime qu'on nous mettrait sous les yeux en nous obligeant à nous comporter comme des voyeurs. C'est indécent de pudeur. C'est pas possible d'en arriver à ce point de souffrance et qu'après trente ans de « self contrôle » vous jetiez ainsi votre douleur à la tête de milliers d'inconnus avec un seul cri : « Aimez-moi, je voudrais qu'on m'aime – quand même. »

Message reçu, Anny.

Parce que la raison de ma lettre, c'est vous dire combien j'ai envie de vous prendre dans mes bras, là, telle que vous êtes maintenant, vous bercer, vous câliner, vous consoler avec ces mots et ces caresses que je ne sais employer qu'avec mes enfants.

Cet instinct maternel que vous sollicitez tant, admirable femme, pauvre petite fille.

Vous ne connaissez pas votre maman. Vous auriez tant voulu savoir comment elle était avec vous. Abandonnez-vous à vos rêves. Rêvez-la telle que vous l'auriez aimée :

câline, maternelle, aimante. Au-delà de ces rêves sont peut-être vos réels souvenirs.

Peut-être aussi que pour vivre bien avec eux, morts, il faut accepter qu'eux-mêmes, là, en vous, y soient bien aussi. Que vous viviez dans le souvenir et l'amour, tous trois ensemble en harmonie.

Ils ne vous gronderont pas, Anny. Vous n'avez pas fait de bêtise. Ce n'est pas votre faute. Vous n'êtes pas coupable.

Je voudrais vous dire, je vous souhaite de trouver la paix.

Je pense plutôt : Faites la paix.

Bonjour,

Les chênes verts sont comme une toison drue grimpant les pentes de la colline. Le tilleul aux graines mûres, la glycine entourent la fenêtre, la pluie fine et le vent du sud ont refroidi l'air. Les feuilles vont bientôt virer à l'or ou au rouge ou s'envoler avant même leur temps...

Je vous ai donc déjà beaucoup parlé, en écho de mon itinéraire et aussi du vôtre bien sûr. J'ai vibré comme le chœur antique, qui répète, amplifie, pleure, crie, chante et aussi suggère, relit et décode, en vous écoutant dire d'où et de qui vous veniez. Ma mère est partie lorsque j'avais six ans et je comprends fort ce risque de saisir la mélancolie qui était sienne – on dirait dépression ? – ce risque qu'avant longtemps on ne peut prendre, faute d'être empêchée de grandir, cette hésitation entre « ne plus être enfant » et « ne jamais grandir » et cette grande peur de sangloter à s'y noyer devant d'autres.

Le gaz carbonique a-t-il pu pénétrer dans votre chambre avant de se diluer, expliquant ce temps avant de vous lever ? Hypothèse... J'ai refermé le livre et parfois je regarde les photos, traces magiques et mystérieuses.

Votre regard retrouvé dans celui de votre mère m'apparaît en miroir du sien... plus fort. Depuis quelques jours, quand je fais couler l'eau de l'évier, j'entre dans un réduit oublié, pas revu depuis presque quarante ans et l'eau coule sur la pierre. Est-ce moi qui touche l'eau ? Qui me porte ? Puis-je atteindre seule le robinet ? Je vais avoir six ans.

Ne pas vous importuner... le dialogue imaginaire ne sera jamais clos, de toute façon. Chaleureusement.

Un peu avant le printemps, le livre est sorti en librairie. Je ne me sentais guère impressionnée par le fait que ce qui m'était encore il y a peu de temps si intime soit livré au public. Il avait déjà été lu par bon nombre de personnes, j'avais subi les discussions techniques inhérentes à la fabrication, la correction des épreuves, donc un certain cap avait été franchi, et ce n'est pas parce que des lecteurs allaient l'avoir en main à leur tour – pour moi encore masse très lointaine et anonyme – que je me sentais dépossédée ou même directement touchée. C'était abstrait, et l'idée de partage presque symbolique. Par contre, en parler publiquement avait été très important pour moi.

La première fois que j'eus à le faire, c'était à une réunion des représentants du Seuil. A ce moment-là, le livre étant en cours d'impression, il fallait bien que je leur raconte de quoi il s'agissait et ce que j'avais voulu transmettre pour qu'ils puissent à leur tour en parler aux libraires.

Je suis arrivée, sur le qui-vive, avec ce trac un peu froid que j'ai avant les premières au théâtre. On ne sait jamais comment les premiers mots vont sortir, si même ils vont sortir, quel son va avoir tout à coup sa voix – elle va résonner bizarrement dans le silence, comme si une salle pleine, les regards des spectateurs changeaient la qualité de l'air. Et on a beau connaître son texte, savoir ce qu'on a à faire, tout paraît alors différent, inconnu. On peut même avoir l'impression un instant que c'est une autre qui parle... Une fois les premiers mots prononcés, généralement ça va, on s'habitue, on se réintègre.

Cette fois-là ce fut pareil.

Un autre auteur sortait de cette salle de réunion où il avait parlé de son roman et je réalisai tout à coup que les gens réunis dans cette salle n'avaient pas la moindre idée

de ce que j'avais fait et qu'ils avaient de moi l'image d'une personne plutôt gaie, équilibrée, solidement plantée sur ses grandes pattes. Et si j'allais craquer? J'attaquai hardiment, la voix un peu blanche: « Voilà, c'est simple, j'ai écrit le livre de ma vie... »

Et puis j'ai raconté.

Une seule bouffée d'émotion m'était montée à la gorge, que j'avais ravalée dans un contrôle parfait. Quasiment euphorique d'avoir si bien dominé l'épreuve, je déjeunai ensuite très gaiement en compagnie de tous ces gens, puis je passai un reste d'après-midi d'une exceptionnelle légèreté à papillonner de-ci, de-là en me disant: « Chouette! Ça va, je peux parler de la mort de mes parents sans pleurer, c'est épatant... », et je payai le tout, le soir, par une crise de cafard et de larmes d'une rare intensité! Il fallait rester vigilante.

Je le restai donc pour toutes les interviews qui ont suivi, aidée par la délicatesse dont ont fait preuve tous les journalistes à mon égard. J'étais frappée, émue par cette énorme vague de sympathie et de gentillesse que j'ai reçue de tous, même de ceux qui sont réputés pour avoir la dent dure. Chaud au cœur, vraiment. Et cette pensée si douce récompense de ce qui avait été AUSSI un long travail: ouf! je me suis bien fait comprendre.

A la fin d'un entretien enregistré pour la radio, l'un d'eux me dit une phrase qui me frappa: « Vous verrez, viendra un moment où vous en aurez marre de votre propre histoire. »

J'ai répondu, je crois, que je l'espérais, mais intérieurement plutôt dubitative. Je me disais qu'il avait raison, que c'est ce à quoi je devais parvenir, mais, totalement plongée dans mon sujet, attachée à mes dernières pages, ça me paraissait une hypothèse lointaine et improbable. J'en parlais à longueur de journée sans ressentir le moindre signe de lassitude, au contraire, des gens lisaient le livre, m'en parlaient à leur tour et je pleurais mes morts en privé le soir – je nageais dans mon histoire à plein temps. Alors arriver

à en avoir marre, grands dieux, c'était le bout du monde !

Mais, tout de même, j'ai beau dire « masse anonyme » en parlant de la manière dont je ressentais les lecteurs à ce moment-là, je me souviens du petit arrêt intérieur quand quelqu'un me disait avoir acheté ou lu mon livre. « Ha ? » disais-je sans bien définir cette émotion légère qui me traversait, et que je reconnaîtrai plus tard comme un soulagement – on me délestait chaque fois d'un gramme du poids de mon silence, de mon regret. C'est curieux comme poussé à faire quelque chose par un besoin clair, précis, on a du mal par la suite à en reconnaître les effets...

Et vos lettres ont commencé à arriver chez moi.

Je me doutais bien, tout de même, que j'aurais du courrier. Mon histoire allait immanquablement rencontrer d'autres histoires approchantes, des orphelins allaient à leur tour me confier leur douleur. Oui, je m'attendais à cela, LOGIQUEMENT, mais je fus extrêmement surprise que ces confidences me touchent si intimement.

Je séparais les lettres de mon courrier « normal » et les mettais à part. Je les reconnaissais facilement, elles arrivaient généralement par cinq ou six en provenance des Éditions du Seuil, réexpédiées à mon adresse. Et, seule dans mon coin, quand j'étais certaine d'être tranquille, je les lisais. J'étais profondément AVEC la personne qui m'écrivait, j'écoutais, je recevais. J'étais souvent très émue, en communion avec ce qu'on me racontait.

En fait, écrire un livre et être lue n'aurait pas suffi à briser ma solitude avec mon regret. C'est vous qui l'avez fait en me renvoyant vos paroles. Sinon, mon effort serait resté un monologue.

Mais je ne m'étais pas du tout attendue à ce que certaines personnes m'écrivent pour me parler de moi... Non, jamais je n'aurais imaginé que des gens avaient des choses à me dire à propos de MON histoire. J'en étais estomaquée.

Je me souviens d'une des premières lettres que j'ai reçues (que j'ai mise plus haut dans le livre) et qui, par sa concision, le ton franc, presque brutal qu'elle a, m'avait

littéralement scié les pattes – je m'étais assise en la lisant. « Anny, je viens de finir votre livre et je suis inquiète pour vous... »

D'abord « Anny », sans rien d'autre. Mon prénom. Moi. Et cette manière si intimement directe d'attaquer ce que l'on voulait dire. Comme quelqu'un de la famille. Un choc presque physique, comme si on m'attrapait tout à coup par le bras... Les gens, les autres, ces inconnus étaient-ils si proches ?

Et de témoignages en conseils, de mise en garde en apaisement, j'apprenais à écouter. On me prenait par la main, le cœur. On me faisait doucement descendre de ce piédestal sur lequel j'aurais pu rester juchée jusqu'à ce que dessèchement et mort s'ensuivent : le sentiment de ma douleur unique et la condition d'auteur, double solitude. Petit à petit s'élargissait la brèche par laquelle on pouvait me toucher et, ouverte, prête à entendre, je reçus un jour une lettre très spéciale.

Une lettre qui me bouleversa, c'est peu de le dire.

C'est mon ami Maurice qui l'avait postée.

Ce n'est pas lui qui l'avait écrite, mais une de ses amies. Elle l'avait chargé, une fois qu'il aurait lu ce qu'elle avait à me dire et seulement s'il jugeait bon de le faire, de me l'envoyer.

Il l'a jugé bon. Il l'a envoyée. Il a eu raison.

A y bien penser, le rôle que remplit Maurice dans ma vie, dans l'évolution que je dois vivre par rapport à mes morts, est tout à fait extraordinaire.

Nous nous voyons environ une fois par an, nous nous téléphonons de loin en loin et pourtant à chaque contact nous avons un sentiment de télescopage tant les pensées, les mouvements l'un vers l'autre sont simultanés. Au bout de cinq, six mois de silence, je l'appelle juste au moment où il tend la main vers le téléphone pour faire la même chose – « Ça alors ! » A la longue on s'y fait, on se rend à l'évidence. Ce n'est jamais anodin.

Ce jour-là, le jour de LA lettre, c'était encore plus fort.

Depuis la sortie du livre, nous ne nous étions pas parlé. Je pensais l'appeler, oubliai de le faire pendant quelques jours, puis enfin un vendredi matin je décrochai mon appareil et tombai sur son épouse. Il était sorti faire des courses. « Tiens ? Raté, cette fois... », me dis-je. En fait, à ce moment-là, il devait être en train de poster cette fameuse lettre que j'allais recevoir le lendemain midi...

C'est ainsi que, de hasards en coïncidences – dont on est bien obligé, si pragmatique et cartésien qu'on soit, de se dire à la longue qu'ils n'ont rien à voir ni avec le hasard ni avec les coïncidences – dans mon for intérieur, j'ai commencé à surnommer Maurice « le messager ». Ce jour-là, comme pour me rendre plus disponible encore, le sort (?) avait fait le vide dans la maison.

En effet, il est extrêmement rare que je sois seule chez moi. Les enfants, mon compagnon, la nounou, ma tante, ma sœur, ma belle-sœur, sans compter la femme de ménage et la concierge qui vient souvent bavarder, tout le monde va, vient, vit ici ou passe quelques heures, et si l'on veut s'isoler de la tribu – pour écrire par exemple –, mieux vaut carrément s'en aller.

Ce samedi, mon fils chez un copain, ma fille invitée à la fête foraine, tout le monde par monts et par vaux, j'étais solitaire quelques heures. Et c'est effectivement si exceptionnel que je notais intérieurement le fait – tiens, c'est bizarre...

Je décidai d'en profiter sans tarder pour faire mon courrier au calme et pris les quelques lettres arrivées à midi pour les décacheter.

Celle que m'avait expédiée le messager Maurice était assez grande, en papier kraft, et il avait noté son adresse au dos. Je souris en pensant qu'il l'avait peut-être jetée à la boîte au moment précis où je décrochais le téléphone et, intriguée, je m'assis confortablement et l'ouvris. Je fus surprise de découvrir quelques feuillets couverts d'une écriture qui n'était pas la sienne, et je commençai à lire, tout de suite happée par les mots.

Votre livre m'a touchée plus que ne je pourrais vous le dire.

Je suis médecin anesthésiste-réanimateur et je tiens à vous citer quelques extraits d'un livre sur les urgences médicales aux éditions Masson, publié en 1991 :

« L'intoxication par l'oxyde de carbone est redoutable par les complications et séquelles qu'elle peut entraîner.

Tableaux cliniques

1. Mort brutale avec conservation de l'attitude du sujet par anoxémie totale foudroyante.

2. Le début de l'intoxication est très caractéristique :

- Torpeur progressive.

- Vertiges.

- Adynamie musculaire : le sujet est incapable d'ouvrir une fenêtre, s'il essaie, il s'effondre comateux.

- Perte de connaissance.

Donc schéma en trois phases :

• Première phase d'imprégnation :

Vertiges, bourdonnement d'oreilles, torpeur.

• Deuxième phase :

Impotence musculaire totale des membres inférieurs, empêchant de se soustraire à l'atmosphère toxique.

• Troisième phase :

Coma calme.

ATTENTION : Il peut y avoir intoxication sans signes cliniques ou avec des signes régressifs. »

(Fin des extraits)

Il est évident que vous avez eu un début d'intoxication à l'oxyde de carbone avec torpeur, bourdonnement d'oreilles, adynamie musculaire, puis la chute de votre mère essayant sans doute en vain d'atteindre la porte a entraîné la fermeture de celle-ci, vous soustrayant alors aux gaz toxiques.

Vous vous êtes lentement réveillée et vous avez éprouvé le besoin instinctif d'aller dehors pour respirer, et vous avez repris vos esprits et retrouvé vos forces.

Votre petite sœur étrangement calme souffrait aussi de cette intoxication lentement régressive.

Cela, bien sûr, n'enlève rien à votre douleur, à ce manque impossible à combler, mais de toute évidence vous n'êtes pas coupable.

Je n'ai pas eu besoin de lire jusqu'au bout pour comprendre, pour subir le choc. Après les extraits du dictionnaire médical, dès les premiers mots personnels, j'ai crié. C'est sorti de moi tout seul.

Puis des borborygmes, une plainte comme un vomissement d'émotion incontrôlable, animal.

Je ne sais pas combien de temps a duré cette crise. J'étais renversée dans mon fauteuil, retournée comme un gant par cette révélation que j'ai RECONNUE immédiatement comme la vérité de ce qui s'était passé.

Une fois le choc assimilé, j'ai été envahie d'une immense pitié pour ma mère et moi.

Ma mère, ma pauvre mère presque publiquement accusée par moi d'avoir fermé la fenêtre puis cette porte, d'avoir voulu mourir en entraînant sa famille avec elle, de m'avoir appelée obstinément pour que je vienne dans cette salle de bains. Quelle horreur...

J'ai eu tout à coup en mémoire son visage suppliant qui m'était apparu en rêve, son expression désespérée, déchirante, qui prenait alors un tout autre sens. Supplication, oui, mais pour que j'arrête enfin de la rejeter, de l'accuser, de m'accuser moi-même aussi. Pour que je comprenne enfin. « Complices », avais-je écrit... Ma pauvre maman, faut-il que je t'aie aimée pour t'en vouloir à ce point d'être morte.

Et puis j'ai douté, bien sûr. Je me suis dit que ça m'arran-

geait bien cette version si déculpabilisante des événements. Mais mes doutes n'ont pas tenu contre la sensation d'immédiate évidence qui m'avait saisie. Et j'avais la salle de bains devant les yeux, moi. La porte qui ouvrait sur l'intérieur de la pièce, le bac à douche juste derrière, avec cette barre verticale au coin qui permettait de s'y agripper en venant du lavabo avant de tomber sur la porte. Je voyais les mouvements de ma mère, j'avais enfin le scénario devant les yeux, les réponses à mes questions. Et j'avais été obligée de pousser cette porte de toutes mes forces pour l'ouvrir tant ma mère était collée à elle... Bien sûr, elle était tombée dessus. C'était d'une imparable logique.

Mais quitte à accuser quelqu'un, pourquoi ma mère et pas mon père ? N'était-ce pas lui qui avait choisi cette maison de mort ? Pourquoi toujours la mère coupable ? Pour épargner l'homme, le père, à tout prix ? Ou l'ai-je écarté par conviction profonde que la vie est l'affaire des femmes – les hommes se précipitent vers la mort, le danger, ils ignorent les signes. C'était à elle de savoir, de sentir. A elle de nous sauvegarder.

Je ne sais pas si c'est ça. Je ne sais rien. Et je ne suis pas certaine d'avoir envie de passer un temps fou à rechercher ce savoir. Mais je débordais de pitié pour nous, d'amour pour elle. Je lui demandais pardon de tout mon être.

Quel choc de savoir tout à coup que la désobéissance n'avait rien à voir avec le fait que je ne me sois pas levée pour les rejoindre, que je ne les avais pas non plus laissés mourir par indifférence, ni par paresse, que j'étais simplement empoisonnée moi aussi. Victime. Comme eux. Un enfant ne se rendort pas aussi irrésistiblement après une nuit de sommeil. C'était évident. Évident...

Comment n'y avoir jamais pensé ?

Comment avoir échappé justement à cette vérité-là ?

Je comprenais aussi tout à coup deux ou trois choses qui m'avaient toujours posé question et que je reconnaissais comme des signes, l'amorce impuissante d'une recherche de cette vérité.

Mon rêve de mort, bien sûr, qui revenait si régulièrement et dans lequel je mourais asphyxiée avec un grand calme. Mais aussi cette manie que j'avais de me mettre dans un état d'épuisement, d'atonie musculaire, en prenant très longtemps des bains trop chauds – chose qui m'était souvent, et avec raison, reprochée chez moi. Et je me couchais ensuite « sans pouvoir soulever un bras ou une jambe », « lourde », dans une sorte de « torpeur », l'esprit flottant.

Je savais pertinemment que cela était mauvais, mais je ne résistais pas, poussée à le faire régulièrement, à me retrouver ainsi couchée sans forces. Me RETROUVER ainsi... Qu'est-ce que je cherchais ? A me retrouver au point de départ, au point d'avant de les découvrir morts, au point d'avant la bascule de ma vie ?

Je tournais sans doute en rond dans une sensation connue, force annihilée et pensées tournoyantes. Je cherchais, je butais. Pas de réponse, pas d'issue...

J'avais laissé tomber la lettre. Je m'étais couchée par terre au plus fort de ma crise. Et toutes ces pensées, ces explications floues ou précises me tombaient dessus comme une pluie, venaient grossir le flot de l'évidence. Submergée, suffoquée, je recevais, je laissais pleuvoir, j'absorbais.

Je suis restée plus d'une heure là, allongée, à me calmer. Je m'étais laissée aller complètement à mon émotion. Et de toute manière je n'aurais pas pu faire autrement, j'aurais été incapable de me contrôler, je crois. Je pensais aux voisins, comme lorsque ma mère m'était apparue au Portugal, s'ils m'avaient entendue, ils avaient dû croire qu'on m'égorgeait.

J'ai pensé tout à coup qu'il eût été impossible que je reçoive cette lettre en présence de mes enfants ou de qui que ce soit. Impossible, vraiment. Et assise par terre, incrédule, si rarement seule, je me disais qu'« on » avait nettoyé le terrain pour que je reçoive cette révélation de plein fouet, que rien n'entrave ma disponibilité et ma liberté d'émotion.

Et la main de Maurice, mon parrain en deuil, derrière tout ça...

Un peu plus tard, ayant retrouvé mon calme, j'ai appelé ma sœur. Je lui ai raconté. Le lendemain, elle est venue me voir et je lui ai montré la lettre.

Elle l'a lue en silence. Puis avec la concision de propos qui la caractérise, elle m'a dit : « Évidemment... Évidemment, ça change TOUT. »

Puis nous nous sommes dit qu'il serait bien que je rencontre cette personne qui avait « tout » changé. Ce devait être facile puisque c'était une amie de Maurice.

J'appelai deux fois. Puis trois, quatre. Elle était en déplacement, ou revenait à Paris quand moi j'en partais. Nous prîmes enfin rendez-vous, et le rendez-vous fut annulé parce qu'elle avait une urgence professionnelle. Puis, en fin de compte, c'était plus simple, nous nous rencontrerions lors d'une réunion d'amis chez Maurice. Elle fut retenue ailleurs aussi ce jour-là.

Ma sœur, au courant de toutes ces occasions manquées, me dit, avec la même habituelle concision : « C'est pas la peine, ÇA veut pas. »

Je me dis donc que cette personne avait fait ce qu'elle avait à faire. Elle avait rempli son rôle dans ma vie et ce rôle, sans doute, devait s'arrêter là. Je la remerciai, et la remercie encore de tout mon cœur. De loin. Puisque ÇA ne veut pas...

Puis dans les mois qui suivirent, presque régulièrement, dispatchées dans le temps, je reçus les lettres suivantes. DANS CET ORDRE.

D'abord celle-ci, venant d'un autre médecin, et qui confirmait presque mot pour mot la première lettre, comme on confirme un diagnostic.

Elle balaya mes derniers doutes.

Je suis médecin.

En lisant votre livre, il m'est apparu un fait dont l'interprétation en tant que médecin me laisse à penser que vous avez été vous-même victime de l'intoxication dont sont morts vos parents.

J'ai, en effet, été frappé par la description quasiment clinique de votre somnolence très lourde, avec « lourdeur » des membres, et avec cette conscience décroissante des éléments visuels puis auditifs, jusqu'à un sommeil très profond qui évoque fortement un début d'intoxication oxycarbonée.

Cela est tout à fait possible car la porte de la salle de bains était ouverte, puis votre mère, tentant de sortir, s'écroule et referme la porte – stoppant ainsi l'extension de l'oxyde de carbone – ce qui va majorer leur propre intoxication mais vous permettra de reprendre conscience du fait de la dilution de ce gaz dans le reste de la maison.

Il ne m'appartient en aucun cas d'en tirer des conclusions, mais je me devais en toute conscience de vous signaler cette vue des événements.

Puis celle-ci, plus tard, qui allait un peu plus loin dans les sentiments, au lieu de s'en tenir aux stricts éléments médicaux et logiques des faits, et qui m'émut grandement.

Je viens de fermer votre livre en pleurant à chaudes larmes. Pleurant sur la petite fille inconsolable qui est à l'intérieur de vous, pleurant aussi sur moi-même qui ai vécu dans mon enfance une histoire d'asphyxie très différente de la vôtre, mais dramatique de conséquences pour moi.

Une chose m'a beaucoup frappée. Vous n'en parlez pas.

Le matin du drame, vous avez été, sans le savoir, atteinte vous aussi par un début d'asphyxie. Vous décrivez ce sommeil dans lequel vous avez sombré, ce manque de réaction aux bruits que vous entendiez. Vous aviez sans doute votre chambre proche de la salle de bains et l'oxyde de carbone, si sournois, a pu pénétrer dans votre chambre. En tout cas, il est sûr que vous avez vécu un début d'asphyxie car dans le rêve qui vous hante vous décrivez, avec une minutie clinique, l'impression qu'ont tous les gazés et qu'ils décrivent lorsque par chance – ce qui est rarissime – ils échappent au drame : douceur, quiétude, lucidité.

Je suis presque certaine que si, au lieu de descendre au rez-de-chaussée et de respirer l'air du dehors, ce qui vous a sauvée, vous aviez pu ouvrir la porte de la salle de bains, vous n'auriez pas sauvé vos parents mais vous seriez tombée à votre tour, et la porte restant ouverte, votre petite sœur serait morte aussi. Si elle est vivante aujourd'hui, c'est grâce à vous. Et si dans un coin de votre inconscient se tapit un sentiment de culpabilité (ce qui transparaît à travers certaines de vos phrases), sachez que vous n'êtes responsable de rien, mais victime d'une effroyable fatalité, et que votre sœur, que vous semblez beaucoup aimer, vous doit la vie.

*Ce qui frappe encore, c'est qu'entre deux tranches de vie incompatibles, celle de l'*AVANT *et celle du* PENDANT, *votre mémoire a choisi d'occulter l'*AVANT, *comme s'il vous était possible de survivre, le drame au fond du cœur, plutôt qu'avec des images riantes et douces.*

J'ai fait l'inverse de vous, j'ai occulté le drame et gardé les images riantes : cela a gâché ma vie.

Parce qu'il y avait en vous une incroyable force de

vie, vous avez inconsciemment choisi l'amnésie d'une partie de votre vie qui vous aurait amollie dans la lutte pour survivre – les tuteurs et les échafaudages ne sont jamais faits de matière tendre...

Le jour n'est sûrement pas loin où bons et dramatiques souvenirs réunis ne seront plus que la trame de votre enfance, une enfance pas comme les autres, mais qui vous a faite telle que vous êtes, c'est-à-dire quelqu'un de bien.

Je vous dis toute ma sympathie.

Cette lettre réactiva terriblement mon chagrin, mon regret. Je revivais ce « matin-là » en le voyant sous cet angle. Elle avait raison. Si j'avais réussi à ouvrir la porte à la première tentative que je fis d'entrer dans la salle de bains, si j'avais alors eu assez de force pour pousser la jambe de ma mère qui bloquait l'ouverture, je me serais immanquablement penchée sur eux. Déjà intoxiquée, je serais tombée, oui. Ma marraine ne se serait inquiétée de ne pas nous voir arriver à déjeuner que deux heures après, et le temps que quelqu'un arrive pour voir ce qui se passait, il aurait été trop tard, nous aurions été morts tous les quatre. Tous les quatre ensemble.

Morts MAIS ensemble...

Et relatant ceci dans mon journal, le soir où je reçus cette lettre, j'écrivis un terrible mot.

J'écrivis : « Dommage. »

Puis je m'arrêtai, effrayée, au bord d'écrire aussi que j'aurais mieux aimé être morte et AVEC eux.

Je n'avais pas le droit d'écrire ça, non. Et pourtant, ce soir-là j'avais tellement mal à mon amour pour eux – et aussi, sentiment nouveau qui venait alourdir mon chagrin, mal à leur amour pour moi – que je l'ai pensé un instant.

Je nous ai imaginés tous les quatre, là, tranquillement couchés, tranquilles pour toujours et pour toujours

ensemble. C'était si doux... Je l'ai regretté un bon coup, oui. Et puis ça a passé.

Rien de morbide là-dedans. Du trop-plein d'amour pour eux révélé, inemployé, qui débordait. De l'indulgence pour moi-même aussi, enfin. L'envie de se reposer, de me reposer avec eux sans fin...

Et je notai simplement ceci, épuisée : « J'ai choisi de me laisser éprouver mon chagrin, mais bon Dieu, ça n'en finit pas, ça n'en finit pas... »

Non, ça n'était pas près de finir.

Après avoir assimilé ceci pendant quelques semaines je reçus une dernière lettre sur ce sujet, qui allait encore un peu plus loin, enjambant d'une manière visionnaire toutes les déductions et réflexions précédentes, et qui me remplit d'une émotion plus violente encore.

Quelle impulsion m'incite à vous écrire quand aucune émotion n'a jamais été aussi aiguë pour m'inviter à le faire auprès de quiconque ?

Un cousinage de souffrance d'enfant dont la vilaine blessure, pas nette, salement déchiquetée, s'est fermée lentement par une épaisse cicatrice, toujours sensible...

Un sentiment fraternel ou maternel... Je choisirais maternel, après réflexion, qui pousse à panser, puis câliner...

Le besoin de se mettre « à la place de »...

J'ai pensé, en vous lisant, au dernier geste de votre maman et j'ai compris ceci :

C'est elle qui, avec le reste de conscience qui a décuplé ses forces, a fermé la porte et l'a bloquée de son corps pour épargner ses enfants, pour vous empêcher, vous, d'entrer dans la pièce mortelle.

Ce n'est pas vous qui avez laissé mourir vos parents,

c'est elle qui, en vous sauvant la vie, vous a remise au monde.
Son ultime geste d'amour.
Un voile, si noir fût-il, peut s'entrouvrir.
De tout mon cœur je vous souhaite cette grâce.

Celle-ci ne me fit pas pleurer. Elle me remplit d'une émotion puissante, mais calme, profonde.

Ma mère bloquant la porte pour me laisser à l'extérieur. D'un côté la mort avec eux, de l'autre côté la vie. LA PORTE...

J'avais déjà pensé à mon rêve de la chambre à gaz avec ma fille, bien sûr, déjà fait le rapprochement depuis les autres lettres, mais pas d'une façon aussi lumineuse. Plus de trente-cinq ans que j'étais restée derrière cette porte avec ce questionnement, que tout au fond de moi je tambourinais désespérément sur cette porte qui nous avait séparées.

Et l'on m'offrait cela avec une générosité « maternelle, à la réflexion... ».

Maternelle, ça oui.

Bien sûr, nul ne peut rien affirmer, nul ne saura jamais ce que ma mère a pensé avant que son esprit ne lâche prise, si elle s'est sciemment collée à cette porte avant de rester définitivement immobile, si elle a souhaité m'empêcher d'entrer avec cette lucidité intacte qu'ont paraît-il les gazés alors que leur corps ne peut déjà plus réagir.

Mais j'étais, je suis toujours extrêmement troublée, non seulement par cette lettre, par l'élan de clairvoyance quasi médiumnique qu'elle dégage, mais qu'un rêve y ait été si clairement associé avant que je la reçoive, l'un appuyant l'autre pour mieux me convaincre.

Avais-je vraiment par ce rêve, avant qu'on me le DISE, vécu tous les sentiments qu'avait éprouvés ma mère avant de mourir ?

Et m'était-elle apparue avec son visage de souffrance pour me faire comprendre la même chose ?

Je ne sais pas. Je ne sais pas.
Mais si, je sais, bien sûr.
C'est trop tard. Je le crois. C'est dit.
C'est bien.

À songer à tout cela, à relire encore une fois ces lettres, je suis restée pendant une demi-heure assise à ma table sans trouver un mot à ajouter.

Que dire de plus ? Comment décrire ce que je ressens ? Je ne peux pas.

Ça suffit bien comme ça. Vous avez compris.

Ce vieux boulet, cette culpabilité qui devait me miner sournoisement, ce nœud de ma vie, c'est vous qui l'avez dénoué.

C'est assez incroyable mais c'est ainsi. Des inconnus, parce que j'avais enfin écrit, ont joué les Agatha Christie avec mon histoire pour m'offrir cette révélation. Et si j'avais gardé le moindre doute sur l'utilité d'avoir fait un livre de mon regret, sur le bien-fondé d'avoir choisi ce moyen-là pour tenter de m'en libérer, ceci y répondrait. Car personne ne m'aurait jamais DIT cela, ni amis, ni un membre de ma famille, ni un analyste, car à personne je n'aurais décrit de manière si minutieuse ce qui s'était passé et ce que j'avais ressenti ce matin-là. On se tait toujours trop vite, on a peur d'ennuyer, on a une honte physique de souffrir, l'émotion vous étouffe, vous mange les mots. Il n'y a que l'écriture pour vraiment dire. Il fallait que je l'écrive pour que des gens, médecins ou non, sans rapport affectif avec moi qui puisse les retenir de parler, ayant le temps de réfléchir sur les mots, me donnent objectivement leur version des faits.

Oui. IL FALLAIT que j'aie écrit ce livre. C'était le seul moyen.

Maintenant, elle m'appartient cette vérité que vous m'avez donnée. Elle est à moi. Et déjà mon paysage intérieur a d'autres couleurs, je suis changée par elle. Ce sera sans doute lent, profond, les effets sur ma vie n'en seront sans doute pas immédiats mais, comme le dit si bien ma sœur, ça change TOUT.

C'était si simple, si simple...

Je reste ébahie de n'y avoir jamais pensé, voire d'avoir peut-être fui cette si simple vérité.

Comme s'il fallait à tout prix un coupable.

Mais, surtout, ni Dieu, ni le sort, ni cette saloperie d'oxyde de carbone.

Un coupable humain. Moi, ma mère. Qu'importe.

Cet orgueil de garder le premier rôle dans son destin, fût-ce celui de coupable, n'est-ce pas cela ?

Que ce contre quoi on se bat à n'importe quel prix, que la chose la plus impossible à accepter soit la BÊTISE, l'abjecte, plate bêtise du sort ?

N'est-ce pas cela ?

Vos parents ont tenté de vous joindre par l'intermédiaire de votre sœur qui a porté les négatifs chez vous. Leur premier signe afin que vous cessiez de les envelopper dans du noir, que vous leur accordiez une existence qui se perpétue autrement, dans une autre demeure, dans un corps dit « de gloire » par la Bible et « astral » par les chercheurs actuels.

Leur tentative ayant échoué, ils se sont servis du canal des rêves et ils ont mis une clef à la porte que vous aviez verrouillée à bloc. En vous posant des questions sur ce que vous nommez « cauchemar fidèle » vous avez commencé à tourner leur clef tendue. Ils vous ont étonnée, perturbée, atteinte, ils ont réussi à vous joindre au moyen d'énergies qui dépassent notre entendement terrestre, et qui sont peu à peu découvertes par des réseaux scientifiques tout à fait sérieux.

Ouvrez une porte sur des pensées nouvelles qui reprennent des certitudes antiques et elles éclaireront tout ce noir qui vous a empêchée de communiquer avec vos parents défunts. Ils vous regardent, vous entourent, vous aiment, et ils ont tenté de vous l'expliquer dans ce rêve répétitif qui n'a rien d'un cauchemar, qui est une révélation.

Accueillez-les, répondez-leur avec votre cœur, ils vous écouteront et vous répondront par signes que vous apprendrez peu à peu à reconnaître.

Essayez.

Surprise : « Achevé d'imprimer en avril 92 ». Avril ? J'avais l'impression d'avoir tourné autour de ce livre pendant tout l'hiver...

Eh bien non, seulement tout le printemps...

Puis je l'avais reconnu à l'entrée de la grande librairie, en pile.

J'ai commencé à « tourner autour », d'une librairie à l'autre, le feuilletant, regardant une photo ici, lisant un passage là...

Je n'ai pas l'habitude d'acheter des livres « chers ». J'attends toujours, pour les romans, l'édition de poche.

J'ai fini par craquer dans une grande surface – honte à moi.

Il allait passer sur un chèque global entre une boîte de corn-flakes et une botte d'asperges.

Je ne saurais pas dire longuement pourquoi ce livre m'a tellement touchée. Pas d'identification directe : j'ai eu mon content de père et de mère. Rien à redire.

Je ne sais pas : l'enfance, la mort, le destin, comment vivre...

J'ai été troublée aussi : le rêve, le premier, le rêve de mort. Pour moi, c'est la mort de vos parents que vous revivez (pourquoi ? dans quel but ? Je ne sais pas) : la mort – du moins quand elle surprend ainsi – n'est-elle pas quelque chose de très doux, de très facile, plus facile que l'arrachement de la naissance ? Mais quand on meurt en pleine jeunesse, en pleine beauté, en pleine vie, comment ne pas rester attaché au terrestre, aux lieux, au bébé dans le berceau et à la petite fille qui dort à côté ? Bien sûr, il fallait le dire, l'écrire, l'indicible. Pour commencer à s'en défaire,

pour enfin prendre de la distance avec cette déchirure ?

Je vois aussi qu'écrire ce livre vous a changée. Vous n'êtes plus la même à la fin : vous étiez dure, sur la défensive au début, vous êtes plus apaisée à la fin... plus prête à leur pardonner ?

Je ne sais pas si l'au-delà existe, si nous survivons à nos corps. Je n'y crois pas totalement. Pourtant j'aime cette idée que vos parents continuent à vivre autrement et vous protègent, de là où ils sont.

*

Je l'ai lu avec une lenteur extrême. J'ai avancé dans votre récit la gorge nouée et sur la pointe des pieds. Comment pourrait-il en être autrement... Les photographies de votre père sont extraordinaires et hanteront longtemps ma mémoire.

Puisse cet « accouchement » terrible vous apporter quelque soulagement, mais permettez aussi à vos « parents-enfants » de continuer à vivre en vous, pour vous, lumineusement. Et... ne laissez jamais, jamais, retomber votre main !

On pourrait croire qu'après cette révélation qui avait « tout » changé je bénéficierais d'un début d'apaisement. Il me semblait du moins que j'étais en droit d'attendre une évolution sensible vers un mieux.

Pas du tout. Rien.

Rien de changé, tout exactement comme avant – les larmes, le manque. Le manque inextinguible...

Des semaines, des mois passèrent ainsi dans ce double jeu devenu routinier – tout allait apparemment bien, j'étais « normale » avec les autres, avec mes enfants, et des bouffées d'émotion me prenaient tout à coup comme un haut-le-cœur. Pendant cette période, je me suis encore beaucoup épongé les yeux aux feux rouges et dans les cages d'escalier. C'est ainsi que j'ai remarqué une chose à laquelle je n'avais pas prêté attention auparavant : les cages d'escalier d'immeuble sont en ville les endroits – en exceptant les toilettes – où l'on a le plus de chances d'être seul et tranquille. On peut, assis sur une marche entre deux étages, se laisser aller un bon coup.

Non seulement je ne ressentais aucun soulagement, mais j'avais hérité d'un malaise supplémentaire – la poitrine me brûlait. J'avais l'impression, moi qui avais « fêté » la fin du *Voile noir* en arrêtant de fumer, d'avoir les poumons à vif, irrités par trois paquets de cigarettes par jour. Est-ce que je somatisais cette idée d'avoir été intoxiquée à l'oxyde de carbone ?! Je ne ferai pas d'hypothèse trop hasardeuse mais c'était en tout cas nouveau. Et douloureux. Et gênant.

Je finissais par avoir une sorte de ricanement intérieur, une noire autodérision du style : il me manquait ça, tiens. Allez ! Attaquez les problèmes de front, essayez donc de faire votre deuil, ça ira mieux. Tu parles !

J'écris à un auteur pour la première fois. Pourquoi ? Je l'ignore. Votre expérience singulière n'est pas la mienne.

A cause du goût d'enfance perdue qui se dégage de votre livre ? Sans doute. On ne guérit jamais de son enfance. Pas une anecdote qui ne soit un bout de notre vérité : vous êtes la sentinelle de nos souvenirs.

Votre livre existe, vous êtes ÉCRITE. *Les mots sont le lien avec l'invisible. Il s'harmonise avec le silence qui retentit en moi au terme de ces pages.*

Silence poignant, lumière qui nous anime au-delà de l'impalpable poussière du temps, de cette brume lointaine que les belles images de votre père – entre lueur et pénombre – illustrent en toute magie.

Que la vie vous habite pour que vivent les vôtres. Pour que vivent aussi ceux qui, comme moi, veulent sentir le vent qui passe.

« Il y a quelqu'un dans le vent... »

Ah oui ! Je suis sûre que votre père, qui était une âme solaire, a parlé à l'aveugle. Il écoute ! Il écoute la voix soleil qui lui parle de l'envers de l'azur qu'il peut rêver en profondeur. Tout comme votre père rêvait de saisir l'en-dedans des choses...

Avant l'inachevé de cette lettre, ceci :

« Mots liés entre vous, mots tendres ou farouches, l'Homme à vous prononcer respirait plus à l'aise. »

Respirez-vous mieux ?

J'écrivais :

« J'ai mal, ça me brûle. Un poids qui m'oppresse, un trop-plein de douleur à expulser. Ça bloque. Ça fait mal, mal. Je souffre toute la journée, je chialerais à chaque seconde. Une minute de solitude et ça coule comme une incontinence.

La douleur m'emplit, s'enfle. Elle m'habite. Elle est moi. J'en ai assez… Comment faire pour me dissocier d'elle alors qu'elle est là, dedans, qu'ELLE ME VIT et que J'EN VIS ?

Mais j'en bave, aux sens figuré et propre du terme, avec ce poids sur la poitrine qui brûle, qui pèse, que je n'arrive pas à cracher. Contractions stériles.

Et mes enfants ? Quand vais-je vraiment pouvoir me consacrer à eux ? Quand vais-je enfin être une mère libre ?

Il faut arrêter d'y penser maintenant… Je sais. Je sais. On me l'a écrit encore aujourd'hui : "Votre fils a raison, écoutez-le… Libérez-vous pour faire de vos enfants des êtres capables d'amour."

Je sais bien. C'est pour ça que j'ai fait ce livre aussi. Pour eux. Pour exposer cette petite fille attardée, bloquée dans son chagrin, pour qu'elle me soit enfin extérieure, jugée, périmée… Et me voilà obligée de geindre sans fin, à subir cette douleur-geyser qui soulève et tord. Ah ! Dormir, dormir… »

Dormir, bien sûr, avec l'espoir toujours vivace qu'ELLE revienne enfin me voir dans mes rêves puisque j'ajoutai en petit et entre parenthèses au bas de la page : « Viens, ma mère. »

Les semaines passaient, rien ne bougeait.

Je recevais vos lettres. Généralement, elles me faisaient pleurer aussi.

Tout allait pour le mieux, en somme…

Il se trouve que je suis psychologue et qu'à ce titre je suis considérée comme quelqu'un de très solide.

Mais il se trouve aussi qu'il y a deux mois j'ai perdu un être très proche et très aimé.

J'ai lu votre livre, et j'ai adhéré totalement avec tout ce que vous écrivez.

On m'avait demandé l'an dernier de prendre en thérapie un enfant qui avait eu la douleur de voir son jeune frère se noyer devant lui, et j'avais répondu qu'il n'était pas question de lui faire « accepter » son deuil parce que cette mort ne me paraissait pas acceptable – et que ma seule démarche consisterait à l'aider à ne jamais oublier son frère et à garder intacte sa révolte, comme un moteur dans la vie !

Je ne savais pas alors que la même épreuve me coincerait bientôt au cœur de la douleur…

Mes amis « psy » me donnent bien des conseils bons ou mauvais – quelle foultitude d'âneries on peut débiter dans ces circonstances, sans doute parce que le malheur fait peur et qu'on le fuit. On me parle de « faire mon deuil », honnêtement je n'y crois pas. Bien sûr je n'en suis pas à mon premier mort, mais jamais la grande faucheuse ne m'avait touchée si près. Elle a emporté un morceau de moi et cette amputation me laissera saignante à jamais.

Votre livre m'a faite, au travers des pages, votre « sœur de douleur », et m'a rendu ces jours à vivre un peu plus acceptables.

Je vous exprime ma reconnaissance pour m'avoir révélée à moi-même dans les mots.

Ce mois d'août où mes enfants étaient en vacances, je le passai pour moitié dans l'exercice d'un travail alimentaire, et pour l'autre dans le sombre rayonnement de la solitude, dans les heures blanches de la nuit à écrire « deux ou trois choses » que je sais de mon fils qui est mort à quatorze ans, il y a deux mois, quelques jours, quelques centaines d'heures, une éternité…

Quand je dis écrire, vous devez savoir ce que cela suppose de fuites loin de la page, de révolutions autour de la table avant de s'asseoir, les torrents de larmes enfin libérées, les pages qui gonflent chaotiquement, et qui, enfin crachées, soulagent un peu, au moins pour quelques heures, le scrupule d'être, en plein été, au cœur d'une ville étouffante plutôt qu'avec mes enfants, qu'avec les vivants, et la mauvaise conscience qui tenaille dès que je m'éloigne de l'écriture, comme si ma place était là…

Donc, j'étais là, à me batailler avec cette absolue et douloureuse nécessité, la seule manière de vivre cet été avec lui, dans l'incapacité où je suis de vivre sans lui.

Et voilà que votre livre me tombe dessus. Je sais que mes proches voulaient m'en protéger. J'ai eu moi-même un mouvement de recul. Une enfant et la mort de ses parents. Une mère et la mort de son enfant. Des photos, celles que votre père a faites, celles qu'on a faites de mon fils, scrutées, interrogées. Des questions sur ce qu'ils étaient vraiment. Sur ce qu'on connaît d'eux et ce qui restera à jamais mystérieux.

Vous avez su mettre des mots sur ce qui me demeurait inaccessible. Vous avez entrouvert des portes, débusqué des pistes que je ne devinais pas.

Vous m'avez fait peur aussi. Vous écrivez : trente ans. Un abîme. Vertige. Découragement devant tant de douleurs encore à venir.

Pourquoi vous écrire ? Je ne sais pas.

Vous dire que vous m'avez un peu tenu la main quand j'avais surtout besoin d'aide et de solitude.

Peut-être tendre la main, encore, aussi...

Je vous écris à la machine car la plume sur du papier détrempé donnerait éventuellement un piteux résultat. Et puis la machine impose une certaine retenue – l'interposition du métal et une écriture bien nette, bien lisible doivent mettre un frein à trop de débordements.

La raison de cette lettre : « On rêve toujours que ce que l'on écrit puisse être utile à quelqu'un. » Comment sauriez-vous que cela EST *si on ne vous le dit pas ?*

Je viens de passer les fêtes de Pâques avec vos douleurs, les miennes, et certainement celles de beaucoup d'autres.

Ma mère s'est suicidée quand j'avais trois ans et mon père est mort quand j'ai eu neuf ans. Je vous passe les détails, vous connaissez.

J'ai retrouvé la cour de récréation où à 6 ou 7 ans une fille m'a lancé : « Toi, tu n'as rien à dire, ta mère s'est pendue. » La culpabilité aussi.

Et la fuite qui pour moi était une expatriation.

Mais aussi « être orpheline, c'est épatant », c'est vrai également. Et puis tout le reste.

Malgré les photos merveilleuses de votre père, je vais peut-être donner votre livre pour ne pas être tentée par trop de re-lectures qui risquent d'émousser les émotions et de diluer dans des petits pleurs d'auto-apitoiement les sanglots désespérés mais libératoires de la première lecture.

Vingt ans vous semblent un délai bien court pour parler d'eux sans pleurer – j'ai soixante-trois ans et vous voyez le résultat. A moins que je ne pleure que sur moi-même. Sait-on jamais ?

J'ai du mal à mettre en mots tout le bien que je vous

souhaite : l'apaisement, la paix en vous et autour de vous, pleines de compensations par d'autres bras, d'autres regards, d'autres sourires...

Continuez à faire fleurir votre cave labourée, soyez heureuse.

Au début de l'été, je fis une chose importante. Une chose qu'il fallait que je fasse et à laquelle je me préparais : revoir la sœur et le frère de ma mère.

Pas une visite, pas une lettre, pas un mot depuis plus de vingt-cinq ans. La dernière fois que nous nous étions rencontrés, ce devait être pour la première communion de ma sœur, ou quelque chose comme ça.

Ma tante, mon oncle Claude, comme un grand frère avec qui j'ai vécu en étroite intimité, dans la même maison, jusqu'à ce que mes parents déménagent et en meurent trois mois plus tard dans ce pavillon imbécile. Les seuls témoins, les seuls survivants de mon enfance perdue... Balayés, niés, fuis comme tout le reste, la Normandie, les morts et les souvenirs.

Je leur avais envoyé le livre, bien sûr. Puis écrit. Puis appelé ma tante au téléphone. Ha ! ce choc étrange d'une voix oubliée qui resurgit tout à coup. Ce vague accent rouennais jamais réentendu depuis, ces mots familiaux, en un autre temps familiers – « boujou » au lieu de « bonjour ».

Et puis je l'avais revue, elle, avant de finir d'écrire, changée, mais pas tant que ça. Nous avions été très émues et nous étions promis cette rencontre avec mon oncle avant l'été, chez elle, du côté de Deauville.

Un jour est arrivé où il a fallu y aller...

J'ai épongé deux bouffées d'émotion sur l'autoroute, en allant les rejoindre.

J'avais dit que je n'arriverais qu'après déjeuner, ne pouvant pas – je ne sais plus pour quelle raison et y avait-il même une raison, bonne ou mauvaise ? – quitter Paris trop tôt.

En fait, j'arrivai à mon vieil hôtel habituel sur les planches

Il vous faut vous méfier de votre propre voile noir, vous méfier de la fascination des miroirs voilés.

*

« Rien ne pourra être acquis sans la souffrance et en même temps vous avez à sacrifier votre souffrance. Et c'est ce que les gens sont le moins disposés à sacrifier... »

Gurdjieff

*

Je suis tombée il y a quelques jours sur cette phrase de Braque : « A rechercher le fatal on se découvre soi-même », suivie à quelques lignes près de celle-ci « au jour le jour, chemin faisant »...

de Trouville vers une heure de l'après-midi. J'aurais pu aller les rejoindre immédiatement, débouler sans façon au milieu du repas.

Je n'ai pas eu ce courage.

Et puis je savais qu'il y aurait d'autres gens à ce déjeuner. Alors je voyais ces chaises bousculées, ces présentations, ces assiettes poussées pour me faire une place. Et le retrouver, lui, au milieu de ce tohu-bohu... Non.

J'ai mangé une crêpe devant la mer, toute seule, un peu abrutie, sans force, avec la conscience de laisser passer vingt-cinq ans + une heure avant de le revoir.

J'ai pris un café. Vingt-cinq ans + une heure + dix minutes passaient...

Puis j'ai ramassé mon courage et pris ma voiture.

Quand je suis arrivée là-bas, ma tante m'a fait signe de me garer dans le jardin, sur la pelouse. J'ai vu mon oncle devant la maison. Il trifouillait quelque chose sur le mur, de dos.

J'ai éteint le moteur, je suis sortie de la voiture. Il ne s'est pas retourné.

J'ai claqué la portière, embrassé ma tante – « boujou ». Il trifouillait toujours dans son mur, de dos, à quinze mètres.

J'ai traversé toute la pelouse en bavardant avec ma tante. Et lui, toujours de dos. Un dos obtus, nuque bloquée, qui me sentait arriver...

Je l'ai aimé tout de suite.

C'était bien de pouvoir faire ça. C'était juste. C'était vrai. De loin, après vingt-cinq ans de silence, on ne peut se faire que des grimaces.

Il ne s'est retourné qu'au dernier moment, quand il n'a pas pu faire autrement, visage crispé de tension...

Et l'après-midi a passé. On s'est très peu parlé, en fait. On laissait se vivre le moment. On faisait ce qu'on pouvait. J'étais complètement hébétée.

A un moment, il m'a dit : « Ton enfance oubliée, c'est moi qui l'ai. Minute par minute je m'en souviens. C'est moi qui peux te la raconter. »

Chère Anny,

Je me permets de vous écrire pour vous demander quelque chose. Voilà. Ma mère et moi sommes toutes deux traductrices (elle a quatre-vingt-quinze ans) et nous nous sommes embarquées dans une discussion qui dure depuis bientôt une semaine, et qui menace de virer à l'aigre si vous n'intervenez pas !

Vous écrivez à un moment dans Le Voile noir *: « Il attaqua direct, dans le gras du sujet. » LE GRAS du sujet… Je soutiens que vous avez volontairement glissé votre patronyme dans le texte.*

Ma mère, elle, est persuadée que cela vous a complètement échappé.

Je lui dis qu'il est impossible que vous ne vous en soyez pas rendu compte.

Elle me rétorque qu'alors, vous l'auriez mis entre guillemets.

Et moi de lui affirmer que ça aurait été trop lourd, et que vous avez préféré ne pas appuyer l'effet en laissant aux lecteurs la liberté de saisir cette subtilité ou pas… Vous voyez, on n'en sort pas. Je vous en prie, faites quelque chose pour nous !

Ce petit mot pour vous dire à quel point votre réponse m'a mise en joie. J'en ris encore.

Ainsi donc, c'est ma très sagace mère qui avait raison : « le gras du sujet » était un télescopage involontaire entre le vif du sujet et le gras du lard... J'ai montré votre lettre à l'intéressée, elle a eu le triomphe modeste – mais visible.

Et me voilà bien attrapée, moi qui me méfie énormément des « psy » de toute nature, d'avoir relevé ce lapsus et d'avoir fait irruption dans votre inconscient de façon indiscrète. Je tiens à vous confirmer que mon prénom n'est pas du tout Sigmund.

Je ne pourrai aller vous applaudir ni au théâtre ni au cinéma étant invalide à la suite d'un accident de la route. Mais chaque fois que je vous verrai apparaître à la télévision, je vous saluerai d'un « bonjour Anny ! » sonore et affectueux, à moins que vous ne me l'interdisiez formellement, parce que vous jugez l'apostrophe trop familière.

Et je compte commencer jeudi soir...

Vertige. Tentation. Panique.

Incapable d'aligner deux phrases. A la limite de l'idiotie. Plus tard, traversant la pelouse avec eux, l'impression de marcher avec des inconnus et cette pensée désagréable : « Est-ce bien moi ? Et qui sont ces gens ? » Et cet effort pour se dire : « Mais oui, c'est le frère et la sœur de ma mère, ma plus proche famille... »

Se parler intérieurement à soi-même comme à une demeurée.

Les liens du sang meurent-ils comme les autres, faute de soins ?

Hébétude. Fatigue. Sentiment d'irréalité.

Et à la fin de l'après-midi cette phrase de ma tante : « J'ai gardé la vaisselle de ta mère, tu la veux ? »

Dénégation apeurée de celle qui a voulu tout effacer, tout jeter, tout oublier, qui n'est jamais retournée au cimetière, qui reprend si difficilement contact avec les vivants ignorés depuis si longtemps. Et voilà qu'on me faisait trébucher sur les vestiges, les assiettes d'avant leur mort, que ma mère mettait sur la table, dans lesquelles NOUS mangions ensemble...

Non. Non. Je n'en veux pas.

« C'est dommage. Vingt ans que je la garde, cette vaisselle. Elle m'encombre... Tu ne veux pas la voir au moins ? »

On n'y échappera pas.

Vague reconnaissance de choses qu'on a vues un jour. Lointain, presque imperceptible écho de la mémoire. Hébétude. On découpe des feuilles de papier journal. On enveloppe chaque assiette, chaque verre. Ça devient sacré malgré soi. On sait qu'on ne pourra jamais jeter ni donner. On met le tout dans un coffre, gorge nouée.

« C'est mieux que tu la prennes. C'est à toi. Ça te revient. »

Je les ai quittés un peu plus tard en promettant de se revoir bientôt, avec en poche une autre chose qui me « revenait » : une lettre de la main de ma mère – son écriture que je ne connaissais pas, un papier qu'elle avait touché, ses

mots, sa manière de dire les choses… C'était beaucoup pour une seule journée.

Partir, toujours hébétée.

Et s'essuyer les yeux à chaque virage pendant quatre-vingts kilomètres.

Puis il y eut un été familial en Creuse.

Je n'ai rien fait cet été-là. Ni peint, ni écrit, à peine jardiné. Je ne voulais me distraire de rien de ce que j'éprouvais. Je regardais mes enfants. J'étais bien avec eux. Et, de temps en temps, lors d'une promenade solitaire, l'émotion rejaillissait. Je me couchais par terre et je mordais l'herbe.

A la rentrée, je fis trois films pour la télévision au sein de ma famille formidable. Je retrouvais mes copains. Nous jouions des choses drôles. Bain de jouvence.

Un jour où j'assistais aux rushes (projection des morceaux de film que nous avions tournés dans la semaine), je remarquai que mon visage avait changé. Il était plus équilibré. Je ne souriais plus « en biais », avec cette curieuse asymétrie qui atteignait parfois à la malformation. Je n'exagère pas ! Un jour, au théâtre, tendue à l'extrême dans une scène difficile, je me vis dans un miroir qui était dans le décor. J'en ai eu un choc tant j'avais littéralement la gueule de travers – un Picasso.

Distorsion intérieure...

Je reconnus qu'à présent je souriais « droit ». D'ailleurs on me disait, on m'écrivait qu'on me trouvait transformée. Ça me rassurait sur l'évolution de ce que j'avais déclenché en moi. Car je pleurais encore presque tous les soirs en appelant ma mère...

J'étais plus à l'aise aussi face à la caméra. Une sorte de honte que j'ai toujours eue d'être filmée s'était estompée. Sans aller jusqu'à faire, comme certains acteurs, une « danse d'amour à l'objectif », je pouvais rester devant sans avoir ce mouvement de fuite intérieure qui me poussait à sortir du champ un peu vite, à me détourner.

Et puis tout a une fin. Les tournages heureux aussi.

Je retombai dans mes états d'âme à plein temps.

Les « yeux nus » étaient bien maquillés et ne m'ont jamais posé question, par contre la ligne des lèvres s'infléchissant légèrement d'un côté m'avait toujours intrigué. Quel mystère se cachait derrière ce sourire? Cynique? Désabusé? Sourire certainement douloureux. La réponse est donnée aujourd'hui.

*

Je vous ai vue à la télévision l'autre jour. Votre visage et votre voix m'ont paru plus doux qu'avant??

Que la paix et la joie restent en vous.

Et des semaines, des mois qui passent.

Vivre bien malgré tout, faire ce qu'il y a à faire, rire parfois et continuer à s'éponger subrepticement dans les voitures, les escaliers d'immeuble...

Au moins cette curieuse brûlure dans la poitrine s'était-elle estompée. Mais ça n'en finissait pas.

Plus d'un an que j'avais achevé mon livre, plus de quatre ans que j'avais sorti les négatifs des photos de mon père du tiroir où ils étaient enfermés, et j'écrivais encore :

« Je ne vois pas la fin de cette douleur. Je l'accepte, je la vis. Mais est-ce pour un bien ?

Je ne vois pas le manque se tarir, s'assagir.

Que c'est cruel, ce "jamais plus" qui me fait crisper les mains sur le vide. Mal sous la peau du "plus" et du "jamais". Et me monte aux lèvres un "bou-hou-ou" de môme abandonnée.

Pas plus mûre. Pas plus loin sur le chemin.

J'ai cru accoucher de cette douleur en faisant un livre, en lui donnant une forme. Mais elle n'a pas de début, de fin délimitée. Le livre reste le livre, une chose extérieure et construite, et je reste avec ma douleur dedans, cloaque flou sans début ni fin, sans repère. Il n'y a pas d'étape définie à franchir, pas d'avant, pas d'après. Ce serait trop simple. Il y a que je patauge, que je voudrais en sortir et que je suis dedans.

Je voulais faire mon deuil...

Mais peut-on assouplir et traiter comme matière fraîche une si vieille douleur ? Faire devenir des morts "normaux" des fantômes figés depuis trente-huit ans ?

Puis j'ai cru naïvement qu'en laissant sortir librement mes larmes et mes cris je me viderais peu à peu de ce chagrin enkysté en moi.

Mais je ne sens aucune évolution, aucun soulagement.

Rien n'use cette douleur. Je constate au contraire que chaque crise creuse chaque fois un peu plus profondément le vide, le manque, et que le chagrin se sécrète lui-même, indéfiniment.

Votre livre est un hymne à une souffrance que vous aimez finalement, parce qu'elle vous définit comme aucun souvenir tangible ne saurait le faire.

*

Les mots sont bien infirmes.

Je ne peux pas vous dire grand-chose si ce n'est qu'à tant chercher on finit nécessairement par s'approcher de la lumière.

Je penserai souvent, beaucoup à vous. Vous le saurez.

Ça me fait penser à la bronchite chronique de ma tante... Inguérissable. Trop vieux.

Les bronches creusées comme le manque en moi. Et ça se remplit, on expulse, ça se remplit de nouveau. L'infection, le chagrin. Pareil.

Trop vieux. Impossible à colmater. Les tissus ne peuvent pas se reconstruire.

Quelquefois, heureuse dans mon métier, avec les enfants, au soleil, l'espoir : on croit sentir que ça pourrait se passer.

Mais penses-tu... Un courant d'air, un malheureux laisser-aller, une petite pluie de contrariété, et hop ! c'est reparti. On n'en finit plus de cracher à nouveau, de pleurer. Et ces putains de bronches et ce putain de manque qui restent là, béants au-dedans.

Et repartant à souffrir, je suis bien consciente, physiquement, du piège. Ma souffrance est chaude, de plus en plus profonde. Profonde à s'y noyer, à s'en nourrir. Et c'est aussi rassurant que terriblement douloureux. Ma douleur ne meurt pas en moi, donc vous ne mourrez pas tout à fait, mes beaux morts. Je reste avec vous, fidèle...

Et si finalement c'était ça, ma vérité ?

Et si ç'avait été une erreur de planter le bistouri là-dedans ? Si tout mon être s'était organisé comme autour d'une tumeur qui n'évolue pas si on n'y touche pas, si on ne bouge rien ?

Eh quoi, ma vieille, tu vas faire des métastases si tu t'enlèves ton manque ? Tu gardes ta douleur, comme ça tu n'auras pas de cancer ? On marche sur l'arête du trottoir jusqu'à l'école et, si on ne tombe pas, on ne sera pas punie ?

C'est ça, le mûrissement ?

Le stupide marchandage...

S'accrocher à son mal par peur de l'inconnu, du vide à venir. S'en faire un rempart.

Évidemment, tellement de terreurs en moi et que j'évite, planquée derrière mon regret...

Terreur que ma chance m'abandonne.

Terreur de la maladie.

Terreur qu'il n'arrive malheur à mes enfants.

Et ma tante qui mourra un jour…

Terreur de vieillir, de ne plus plaire.

Terreur d'avoir de bonnes raisons un jour de regretter toutes ces années gâchées d'angoisse.

Terreur de trop souffrir sans avoir le courage de me tuer.

Terreur de finir avec ma sœur comme deux vieilles séchées, collées l'une à l'autre par une histoire qu'elles n'ont su ni maîtriser ni vaincre.

Terreur d'être incapable d'aimer.

Terreur que le vide dont j'ai si peur ne soit dedans, au-dedans de moi – comme dans ce film où la protagoniste fermait toutes les issues de sa maison pour se protéger, affolée, alors que l'horreur était là, à l'intérieur, et qu'elle l'enfermait avec elle.

Suis-je en train de me cloîtrer avec mon mal ?

Et cette vérité noire, revers de ma recherche de vérité claire, qui me chuchote : "Tu crois vouloir te libérer, laisser tes morts pour aller vers les autres, et tu es plus seule que jamais. Tu t'enfermes, creuses en toi le puits d'égocentrisme. Plus tu crois faire de pas, plus tu t'enfonces dans le marécage de ton MOI, paysage intérieur immuable et figé."

Je vieillirai donc avec la raideur intérieure d'une momie ? Ame pétrifiée, impuissante au partage, et certains abusés prendront cette mort pour de la sérénité ?

Je ne peux rien faire quand cette noire vérité chuchote ainsi en moi. Je l'écoute, écrasée. Et je me dis : "Comment faire si elle a raison ?"

Je voudrais me libérer, je voudrais changer et au fond de moi rien ne veut.

J'ai coulé, depuis que j'ai fini ce livre, dans une solitude avouée, organisée. Et me dire que ceci est ma vérité me paraît de moins en moins affreux…

Comment faire ?

Comment faire pour avancer si je ne sais pas marcher autrement ?

Me libérer…

Bon Dieu, c'est mal parti ! »

Vous ne pouvez pas savoir à quel point ce livre aide, réconforte, et surtout fait avancer.

Pour moi, ce n'est pas une recherche nostalgique du passé, C'EST UN HYMNE A LA VIE*! C'est comme si votre livre était écrit pour moi.*

Je pourrais vous dire que je partage la peine, la douleur, le manque, que j'ai envie de porter ça avec vous. Nous savons bien que PERSONNE *ne peut atténuer ce que nous ressentons.*

J'ai pu me dire : « Alors, cette peine, trente-deux ans après, ce n'est donc pas anormal ? » C'est à la mesure de l'amour et de l'intensité de la relation que nous avions avec ceux qui sont partis, avec la brutalité de la rupture. Alors moi aussi je partage cette impression de précarité des liens, même les plus profonds. J'ai horreur des ruptures, *des brouilles et j'ai sûrement comme vous ce besoin de paix dans une relation. (Je suis marié depuis vingt et un ans, j'ai trois merveilleux enfants d'une femme extra.)*

Si un jour quelques idées noires s'attaquent sournoisement à votre soif de vivre, à votre paix durement acquise, pensez très fortement à nous, lecteurs, qui maintenant vivons un peu mieux, par vous. OUI, JE PARTAGE TOUT.

En vous lisant je sais maintenant pourquoi depuis trente-deux ans je n'ai JAMAIS *parlé de maman avec mon père,* grâce à vous je crois que cela va pouvoir se faire.

En voyant la photo (p. 63) j'ai crié : « Mais c'est ma voiture à pédales ! » Elle venait de lui. Je suis allé montrer la photo à mon père, il eut un sourire et m'expliqua comment il tirait ses deux frères dans cette voiture à l'aide de son vélo. Nous parlions grâce à vous…

Besoin de voir et de toucher
même la mort,
garder des traces.
Chercher la densité d'un corps
quand il ne reste que l'espace.
Être enfermé dans son vouloir
avec violence,
souhaiter l'écorce du mouroir,
se tromper de présence.

Je viens de lire votre livre, ce poème lui répondait, je vous le donne. Mais c'est votre fils qu'il faut écouter. Amitié.

A vous,

Je me dis que vous devez ployer sous les lettres, que je ne suis pas la seule à être touchée et à vouloir vous remercier. (Dans le fond j'ai envie d'être la seule !) Donc, dans le mouvement imaginé des lettres des autres, une vilaine petite voix me dit que mes mots ne vous parviendront pas, que tout cela se perdra, que cela sera mort.

Tant pis, j'ai décidé de ne pas écouter cette petite voix.

J'écris, peut-être qu'à moi-même, mais j'écris. Je vous *écris. J'ai lu* Le Voile noir *presque d'un seul coup, littéralement absorbée dans un lieu de moi-même que je sais brûlant ou glacé de douleur. Un lieu incompréhensible pour ceux qui m'entourent. Un lieu préservé, enfermé.*

Tout à coup j'ai eu la folle idée de penser que j'allais l'offrir à telle ou telle personne pour qu'elles me connaissent, me comprennent.

Certaines de vos phrases me laissaient dans la reconnaissance complète, totale, absolue, avec en moi cette phrase idiote, un peu hébétée du genre « C'est ça… » et comme rien d'autre qu'une sorte d'anesthésie d'un moment…

Bien sûr, ceux, celles à qui je ferais lire votre livre ne pourraient pas repérer ces phrases-là, parce qu'ils n'ont pas l'expérience d'un jour de « voile noir ».

Vous c'était Rouen, moi c'était Évreux.

Vous c'était en 1955, moi 1958.

Vous aviez entre 8 et 9, j'avais 7 ans.

J'ai été sans larmes, apparemment indifférente.

J'ai survécu avec un système de défense terrible… vous connaissez.

Je vais avoir quarante-deux ans. Je porte une culpabilité folle, étouffante.

Les psychothérapies, les séminaires de toutes sortes n'aident qu'à apprivoiser le lieu de la souffrance, c'est toujours cela… C'est vrai que cela s'ouvre, et puis cela se referme et cela recommence. Il faut une telle patience et j'ai des moments de rage, d'impatience… Comment j'en suis encore là ! ! ! etc.

J'ai décidé d'apprivoiser la mort en m'impliquant dans une maison médicale pour personnes en fin de vie, cancéreuses ou sidéennes. Bénévole, je suis arrivée avec plein d'idées qui sont tombées une à une bien sûr, et c'est plutôt bien. Il n'y a pas de mode d'emploi, il n'y a pas deux mêmes façons de mourir. Il y a des étapes, des seuils que chacun franchit avec ce qu'il est. Il y a à être humblement là, il n'y a plus de faire, *il n'y a qu'à* être *et c'est parfois difficile de n'être que présence. Je regarde en silence certaines mères qui regardent leur fils ou leur fille mourir… ces mères que je tiens dans mes bras parfois, ces mères à qui je tends un kleenex, une tasse de thé… Juste être* là *! Je les regarde et je me dis que c'est inacceptable ! Il y a des moments où il n'y a plus une pensée qui tient debout.*

Un jour de novembre, il y a trois ans, j'ai été appelée près d'une femme que je connaissais depuis quelques mois ; qui par curieux hasard, avait perdu sa mère à l'âge de sept ans… agonie de sept heures… J'étais là, calme, au centre de moi et d'elle. De temps en temps, j'avais une curieuse pensée : « c'est long de mourir !… »

Son compagnon n'est arrivé qu'aux derniers instants et sa douleur à lui m'a été tout à coup insupportable, il hurlait. Son cri était le mien retenu, le mien barricadé dans une nuit de septembre.

C'était mon premier accompagnement jusqu'au bout... J'ai commencé à pleurer seule dans la rue, ensuite dans le métro, puis le train et, arrivée chez moi, un mur s'est écroulé, une vanne a lâché. Raz de marée trente ans plus tard... comme une folie de douleur.

En avril 92, j'ai eu un désir, celui du cimetière. Je me faisais « accompagner » par ma meilleure amie. J'avais besoin d'elle parce que je savais qu'elle serait adéquate, juste avec mes émotions. J'ai fait à pied avec elle le trajet de mon enfance. Tout me semblait différent, les distances tout à coup devenaient ridicules. J'étais « grande ».

Pour le cimetière, la mémoire là aussi était intacte, mon corps avait gardé les distances ? !

La tombe est abandonnée depuis très longtemps, pas une croix, pas un nom, pas une bordure de ciment, rien, je le savais.

Mon corps a trouvé la tombe...

Je savais mentalement qu'un travail de deuil s'amorçait sur le lieu d'une tombe ou de la mort. Certains Juifs n'ont pu amorcer ce travail qu'en posant les pieds sur le sol de Dachau, par exemple. Cela semble fou et bête, et pourtant !... Je connaissais les mécanismes mais je voulais le vivre. *J'avais besoin d'avoir ma mère sous mes pieds.*

J'ai mis mes pieds dessus et j'ai eu la sensation d'un courant qui me traversait. Émotion ? et dans quel sens ? est-ce possible, ce courant ? Je me suis assise sur le rebord d'une tombe à côté, je n'avais plus de force. Mon amie, doucement, me faisait parler du jour de ce « voile noir ».

Il me reste peu de ce jour... juste une image floue, pas de visage... un son d'ambulance strident dans la nuit, et un truc idiot chez les voisins qui m'ont recueillie, pour me faire mettre à genoux devant un cru-

cifix, et me faire dire « Mon Dieu faites que ma mère guérisse »...

J'ai des bouffées de colère encore, à quarante-deux ans, devant un crucifix ! ! !

Le chemin est long et je crois qu'il n'y a pas de bout. Il n'y a que des petits pas qui aident à grandir, et puis il y a ceux que l'on n'a pas envie de faire.

Vos dernières pages sur le deuil m'ont beaucoup révélé... Vous osez vous dire ce que je n'ose pas complètement...

Apprivoiser la mort, ou faire un deuil, cela ne signifie pas ne plus avoir d'émotions, c'est plutôt les reconnaître et les vivre sans défense. *Le courage de vivre me semble là, et cela ne m'est pas si évident.*

En cette année 93, j'avais fait un vœu un peu bizarre, celui de me donner de la douceur. Avec votre livre, je sais que ce vœu s'adresse à cette enfant de sept ans qui est là, être douce avec elle, alors que je la juge sans cesse ou que je la nie.

Je vais apprendre à apprivoiser mon enfant intérieur et je penserai au vôtre aussi... et comme je pense que les pensées circulent très bien, nos enfants intérieurs communiqueront peut-être et se guériront ensemble de tant de peurs.

Je vous garde dans mon cœur.

LE VOILE NOIR

Premiers pas hésitants
sur le chemin d'ombre et de silence
pour tenter de lever
le voile noir
jeté sur les années
d'avant.

Mes deux beaux endormis
vous m'avez à jamais
renfermée
dans un puits
de douleur solitaire
où j'ai cadenassé
pour mieux le cultiver
le poison du chagrin pétrifié.

Geôlière et prisonnière
combien de temps encore
hurlerai-je en silence
contre la porte close
de ma mémoire ?
Pourrai-je un jour
vivre
amputée
de mes morts
que je porte en mon corps
comme on porte un enfant ?

Mes deux beaux endormis
je sais qu'il me faut
faire mon deuil
de vous

couper le noir cordon
de la terrible peur
de vous perdre à nouveau.

Il me faudra du temps
et quelques cheveux blancs.
Enfants de mes enfants
soyez patients.

Au moment où j'allais me résigner à ce que tout continue ainsi, à vivre à demi étouffée de sanglots ravalés, le ventre bloqué en spasmes autour de ce regret stérile, à me dire que c'était sans doute mon lot de rester seule avec mes peurs, et tant pis après tout, il y avait pire... Voilà que vers le printemps, presque d'un seul coup, mes larmes se sont taries.

Elles se sont taries, oui.

Je n'en revenais pas. Et si je pleurais – si je pleure encore parfois –, cela n'avait plus rien à voir avec la contraction douloureuse d'un vomissement. Non. C'était doux, soulageant.

Comme de la reconnaissance...

Je suis heureuse d'écrire, de VOUS écrire cela. Vraiment heureuse de pouvoir le faire, et instinctivement voilà que j'écrase mon feutre sur la feuille par envie de dire, par bonheur de pouvoir dire à ceux qui me lisent et qui souffrent peut-être d'une blessure, d'un mal qui leur fait mordre leur oreiller depuis des mois ou des années et qui n'en voient pas le bout : c'est possible. Cela arrive. Comme une convalescence. Le mieux-être est tout neuf, fragile encore, mais déjà tout a une saveur nouvelle.

Pour moi, je ne sais pas exactement ce qui s'est passé, pourquoi tout à coup cette renaissance.

Après tout, si, j'en ai une vague idée...

A la fin de l'hiver, les enfants partis en vacances de neige, je me retrouvai seule une dizaine de jours. En plein marasme encore je décidai de prendre avec moi toutes vos lettres et de partir seule vers mon refuge creusois.

Quelque temps auparavant, mon compagnon m'avait dit que j'avais fait de cet endroit une véritable matrice...

C'était tout à fait vrai. Et le nom de ce pays m'a tout à

Il est sans doute importun de vous parler de votre livre.

Mais vous avez choisi la voie de l'écriture, le besoin a cheminé en vous, et vous avez voulu – dû – poussée par une force obscure, partager avec « d'autres sensibilités anonymes ». Il est bon, sans doute, qu'il y ait une réaction, même si elle peut paraître indiscrète.

Qui donne ? Qui reçoit ?

Est-ce celui qui a préparé l'œuvre dans le secret de son cœur ? Est-ce celui qui écoute, qui vibre avec, qui reçoit le message en plein cœur ?

Vous vous exprimez avec simplicité – votre plus grande qualité, peut-être – et c'est comme un accueil. Les livres écrits avec le sang prennent tout de suite une autre dimension…

Vos parents existent. Ils sont vivants en vous. Ils sont vivants au monde par vous, à travers vous qui les apportez au monde. Ils s'expriment par vous, à travers vos gestes, par votre bouche. Mais ils sont différents de vous pourtant, puisque vous avez votre personnalité, et c'est là la difficulté – ne pas les trahir…

Vous vous sentez plus proche de votre papa, cela s'explique sans doute par une affinité plus particulière entre une fille et son père, mais surtout, je crois, parce que votre père s'exprime à présent au monde par ses photos, et votre talent lui permet de s'exprimer, de rencontrer et de parler à tous ceux qui découvrent ses images. C'est un homme avec qui l'on sympathise à travers le temps.

La reconnaissance avec votre mère est moins évidente pour vous.

Mais cela viendra. Aussi.

coup frappée : LA CREUSE. Quoi de plus accueillant, de plus maternel que ce mot ? Pour un seul jour, pour deux heures, j'aurais été me blottir au « fin fond » de la Creuse, dans cette maison nichée en cul-de-sac contre une forêt, en sécurité, en gestation d'écriture. Quelle magie ont donc les mots sur nous ? Aurais-je pu faire une matrice du Périgord ou du Quercy ?

Là-bas, une nuit, j'ai rêvé de mon père. Un rêve très calme, très doux, aucunement traumatisant.

Nous étions accoudés tous deux côte à côte sur une barrière, devant un paysage comme ceux qu'il aimait photographier – un champ, plus loin des arbres, une rivière.

Nous regardions la nature et nous parlions. Enfin, disons plutôt que je faisais les frais de la conversation et qu'il acquiesçait doucement à ce que je disais.

Je n'ai aucun souvenir de mes propos mais je sais que nous parlions de l'enfance, de la vie en général. Je me souviens uniquement d'une phrase : « Quand on grandit, on perd le sens de la magie, on se cantonne au premier degré, à la réalité visible des choses. Ne trouves-tu pas cela dommage ? » Et je savais qu'il me répondait « oui », sans que j'entende vraiment le son de sa voix.

Puis nous nous sommes désaccoudés de la clôture et nous nous sommes mis à marcher sur un chemin. De toute évidence, c'était une longue promenade qui continuait, nous nous étions juste arrêtés un moment. Nous avancions en silence. Mais même en silence il était d'accord avec moi, je le sentais. Nous étions EN ACCORD.

Je n'ai pas vu son visage, car pas une fois je ne me suis tournée vers lui, ni lui, je crois, vers moi. Nous allions parallèlement, regardant devant nous.

Et puis à un moment tout de même j'ai baissé les yeux, tourné la tête et j'ai vu son bras, bronzé, recouvert de petits poils blonds. J'ai pris son avant-bras, senti sa peau et je me suis penchée pour embrasser son poignet. Et au moment où mes lèvres allaient le toucher, je me suis réveillée.

Tabou. On n'embrasse pas les morts...

J'ignorais qu'on pouvait découvrir autant de choses inavouées, non dites en examinant les photos. Je vais reprendre nos albums et regarder. Je suis sûre que je vais apprendre des choses que je n'ai pas voulu voir ou que je n'ai pas su comprendre.

Mon compagnon me faisait intelligemment remarquer la signification de votre pseudonyme : Anny Du Père est. Le savez-vous ?

Je n'ai pas le temps de recopier et de corriger ce brouillon de lettre. La vie m'attend, il est déjà huit heures...

*

... et quand on lit votre nom d'actrice en intervertissant les syllabes, cela donne « EST.PER.DU ». Curieux, non ?

Au matin, la campagne était paisible mais encore dans l'hiver. Moi aussi.

Je faisais du vélo, un peu de jardinage en prévision des plantations de printemps.

Et puis je lisais. Je relisais toutes les lettres que j'avais reçues. Je buvais les mots, je prenais encore une fois tout ce que vous m'aviez donné. Et le projet a pris corps...

Il ne fallait pas que je garde tout ça pour moi. Je devais rendre, renvoyer à mon tour.

J'ai commencé à souligner des passages, des phrases.

Ma sœur est venue me rejoindre. « Toi, tu lis, tu choisis, et moi je tape, ça gagnera du temps. » Alors elle aussi a lu vos lettres, reçu vos mots. L'idée de ce livre était née.

Je ne sais pas si c'est ça, mais c'est réellement très peu de temps après que ça a commencé à aller mieux. Et je sens confusément que l'envie de partager, de faire circuler ce poids d'humanité que vous m'avez offert y a été pour quelque chose. Comme un échange qui ne doit pas rester bloqué à ce stade, un cycle qui doit s'accomplir pour que la sève circule, que ça bourgeonne, que ça fleurisse...

Très peu de temps après, j'ai arrêté le journal que j'avais tenu depuis la fin du *Voile noir* – épanchement solitaire et stérile.

Ce n'était plus la peine. J'allais vous écrire.

N'oublie, Anny très chère, qu'il y aura au drame, le tien, des milliers de participants. L'idée de participation, fière comme un candélabre à la face de la ténèbre.

Partager. Tout aussi bien le pain d'un repas amical. Que tes restes.

Le reste, hein ? Et soûlons-nous du vain de tout à l'heure, oui chaque fois qu'il fera sombre en ta mémoire. Sache, sache-le bien, qu'il y aura de ces petites loupiotes aimables à t'éclairer, un peu, le chemin. Le chemin qui a du cœur, hein ? N'oublie pas ça. C'est indélébile.

Il y aura des participants. A ton auprès. Tu seras lors comme « Participée-passée ».

Allez…

Vous m'avez été utile, Anny.

D'exister, de savoir que vous *existez m'est utile.*

Il vous arrive cette chose inouïe d'être utile à des gens que vous ne connaissez pas…

Je n'ai jamais vu de rôle dans lequel vous laissiez apparaître le visage de votre « portrait intemporel ». Est-ce votre faute ou celle des auteurs ou des metteurs en scène ? Et est-ce une faute, d'ailleurs…

Cela sera peut-être pour l'après-« voile noir ».

Finalement, ce qu'il y a après votre livre devient aussi intéressant que le livre lui-même. Et je ne suis certainement pas le seul à m'y intéresser…

Comme vous devez avoir peur – avoir eu peur – que votre livre fausse vos relations avec les autres (en disant « fausse » je pense tout à coup « éclaircisse »).

Je pense beaucoup à vous.

Je viens de descendre à la cuisine. Il me fallait manger. Une bouillie, c'était cela qu'il me fallait. Mon dernier fils a vingt ans et, depuis, je ne crois pas avoir eu pareille envie ! Bien sûr, les Blédines n'étaient plus là, mais la maïzena sucrée a eu l'effet rassasiant rassurant, chaud et calmant surtout dont j'avais besoin.

A la dernière ligne du Voile noir, *j'ai été envahie d'une violente révolte : « C'est pas possible qu'elle me plante là comme ça, qu'elle me laisse seule à ce moment-là ! Combien de temps devrai-je l'attendre. Parlera-t-elle encore jamais ? » Vous me laissiez tomber, moi, petite fille à votre place, après tous ces liens que vous aviez tissés, toutes ces émotions partagées. Vous m'abandonniez avec ces parents morts qui eux aussi m'avaient oubliée, enfermés dans leur salle de bains, enfermés dans leur couple. Ils auraient quand même bien pu venir me chercher s'il fallait que je me lève, au lieu de m'appeler mollement, au lieu de me laisser seule dans mon lit – pas désobéissante, abandonnée. J'ai eu envie de les tuer, moi, ces parents négligents, inconséquents, inattentifs – ils n'avaient pas le droit de me faire ça.*

Pardonnez ma brutalité, ma sauvagerie, mon intrusion, pardonnez-moi de vous avoir poussée hors du lit et de m'y être installée. Il fallait que ça sorte.

Je ne voudrais surtout pas rajouter à votre peine, mais je pense qu'il est important non seulement pour vous mais pour vos parents d'avoir écrit ce livre, et je n'attendais qu'une chose jusqu'à la fin et heureusement vous l'avez enfin dit, que vous les AIMIEZ.

Sachez qu'ils ont seulement changé de plan. Ils se sont vus très certainement morts et ont dû mettre un certain temps à comprendre qu'ils étaient passés de l'autre côté. Mais quelle n'a pas dû être la douleur de votre mère, et de votre père aussi bien sûr, de voir leurs deux enfants seuls et soudain orphelins.

Ils ont dû ressentir un manque extrême. Peut-être sont-ils restés près de vous et vous ont-ils accompagnée à l'écriture de ce livre. Songez au sentiment d'impuissance qui a pu les habiter : penser à votre rêve, c'était une façon de vous le dire, car les morts essaient de communiquer à travers les rêves. C'était là le sentiment de votre mère qui passait par vous. Votre fils vous a dit avec bon sens : « Il va falloir arrêter d'y penser. » Je n'en dirais pas autant : il faudrait plutôt baisser totalement les armes si ce n'est déjà fait, et communiquer très paisiblement avec eux à tout moment. Vous y gagnerez une grande paix intérieure. Ils sont près de vous et vous ont toujours protégées, vous et votre sœur, n'en doutez pas (d'où l'absence d'épreuves majeures peut-être). Il est temps, maintenant que vous avez fait la démarche décisive d'écrire ce livre, de terminer le travail entrepris. Mais il ne faut pas être triste, cela les afflige trop.

Paradoxalement j'ai ressenti plus douloureusement le manque qu'avaient pu ressentir ces deux pauvres

âmes rejetées que votre propre et tangible épreuve. Peut-être le fait de me sentir quelque part semblable à vous m'empêche de trop compatir. Je pense que vos parents resteront près de vous. N'avez-vous jamais ressenti leur présence ?

Ah ! Je voudrais aussi vous raconter quelque chose.

Au début de l'hiver, il est arrivé une très curieuse aventure à ma sœur. Je devrais plutôt dire : « nous est arrivé », car si elle en est la protagoniste, nous sommes toutes les deux concernées – toutes deux sommes restées coites, tourneboulées, silencieuses devant la grande interrogation, nous retenant de croire par trop envie de croire...

Il faut dire d'abord que ma sœur a fait, par rapport à la mort de nos parents, le chemin inverse du mien. Elle a les événements, les lieux, les dates en tête, car mon grand-père maternel lui a « raconté » ses parents pendant toute son enfance, l'a emmenée dans tous les endroits où notre père faisait ses photos. En somme, tout ce que j'ai fui, effacé de ma mémoire, elle le connaît.

En effet, après leur mort, je fus recueillie par ma famille paternelle tandis qu'elle réintégrait à cinq mois (elle avait tout juste eu le temps d'y naître) la maison de ma famille maternelle, où j'avais vécu huit ans, jusqu'à l'accident. Curieux chassé-croisé d'enfances – elle remplie du récit de celle qu'elle aurait dû avoir, et moi oubliant celle que j'avais réellement vécue.

Par exemple, j'avais totalement oublié la date de la mort de nos parents (je fus VRAIMENT obligée de regarder le livret de famille pour écrire cette date dans mon livre) et cette date est gravée en elle. En diverses occasions elle me l'avait rappelée et j'« oubliais » chaque fois – un truc qui glisse, qui dérape dans la tête : « A quelle date, déjà, sont-ils morts ? »

Et elle, serinant à l'obtuse d'une voix lasse : « Ils sont morts le DIMANCHE 6 NOVEMBRE 1955, tu vas te le rappeler un jour ?! »

Tous les ans, quand cette date approche, elle se paie un grand coup de cafard.

Cette année, comme les autres, elle se sentit un moral

fléchissant sans raison apparente, avant de se dire : « Ah, c'est vrai, c'est demain... », et dans la nuit du 5 au 6 elle fit un rêve.

Elle était dans une librairie. Une très belle librairie ancienne, avec de hauts rayonnages en bois, spacieuse. Au milieu, dans l'espace libre au centre de cet endroit, il y avait deux cercueils, exposés comme ils le sont dans un enterrement, sur des tréteaux, recouverts d'un drap noir. Ma sœur était là et savait à coup sûr qu'il s'agissait de nos parents – son cercueil à LUI, son cercueil à ELLE, bien parallèles, au milieu du magasin.

La clientèle n'était aucunement gênée par leur présence. Les gens contournaient les cercueils avec le plus grand naturel, allaient choisir leurs livres, repassaient, sans aucune surprise. Et ma sœur aussi trouvait cela tout à fait normal. Une sorte de paix régnait là.

C'était un rêve plutôt calme et elle s'éveilla en se disant simplement que l'association cercueil-librairie était étrange. (Nous avons tout de même compris depuis que du fait de la sortie de mon livre nos parents étaient « exposés » depuis des mois en librairie...)

Le lendemain, son mari, la voyant un peu patraque et sachant ce que ce jour-là représentait pour elle, l'engagea à aller s'acheter un livre, puisqu'elle avait rêvé de librairie. Elle qui aimait tellement lire n'avait plus un bouquin devant elle, fait rarissime.

Sautant sur la bonne idée et l'occasion de se changer les idées, elle alla tout bêtement au rayon librairie d'une grande surface spécialisée.

« Voyons, voyons, se dit-elle, l'humeur n'est pas terrible, le jour plutôt lourd, choisissons quelque chose de léger... Polar ? Pourquoi pas ? Mais pas n'importe quoi... Ah, tiens, Simenon ! Bonne idée. »

Elle parcourut des yeux le rayon consacré à Simenon et tomba sur un titre qui éveilla en elle un réflexe d'humour, de cet humour noir dont nous sommes coutumières : *En cas de malheur...*

Votre livre est là, sur mon bureau. Je l'ai dévoré jusqu'au bout, tard dans la nuit. Il ne m'est arrivé que très rarement de lire à la suite un livre entier.

Chacun peut y trouver sa nourriture. De l'ensemble se dégage une grande force : il y a chez vous de la « lionne ». Mais il y a aussi de la vulnérabilité de votre maman, et c'est un merveilleux cadeau. Car la manière dont vous la manifestez a de quoi réconcilier votre lecteur avec ses propres fragilités.

Je suis sûr qu'au détour d'une phrase beaucoup pourront puiser aux sources que vous dégagez délicatement. A vous lire, des chemins s'ouvriront dans des cœurs. Ceux qui traversent des déserts trouveront ici ou là de quoi étancher leur soif.

Je suis évêque. Vous ne serez pas surprise que, lisant votre livre, j'aie souvent pensé à une formule de l'Évangile : « La vérité vous libérera. » Vous n'avez pas voulu faire œuvre de philosophe ou de psychologue. Mais parce que vous vouliez faire la vérité, simplement, au fil des pages vous accédez de plus en plus à la liberté. C'est passionnant !

L'intelligence du cœur est un don merveilleux. Elle vous a permis d'écouter, d'entendre, d'accueillir, de recueillir des paroles qui, en vous, ont fait leur chemin.

Et, après coup, vous vous êtes « recueillie » vous-même au sens fort du mot, enrichie de ce que vous aviez si bien reçu. Votre récit le prouve à l'évidence. On ne sait jamais quelle portée peut avoir une parole riche d'affection.

Mais j'arrête. Vous allez me trouver bien bavard. Veuillez m'excuser, je me suis fait plaisir en vous écri-

vant… et j'en avais besoin, tout simplement. Ma lettre, bien sûr, ne demande pas de réponse : vous m'avez déjà écrit dans votre livre, et c'est à moi, aujourd'hui, de vous répondre.

Ragaillardie par ce que ce titre contenait de dérision par rapport à ce jour-là (l'humour noir ragaillardit, oui), elle prit le livre, paya et sortit.

Sur le chemin du retour, tout en marchant, elle entreprit de feuilleter le livre, histoire de voir – habitude de lectrice assidue – comment il commençait, quel goût avaient les premiers mots.

Elle l'ouvrit et lut, en titre de premier chapitre : « DIMANCHE 6 NOVEMBRE ».

Elle s'arrêta net sur le trottoir, d'abord frappée par la coïncidence des dates, puis elle se dit : « 6 novembre, bon, mais il ne doit tout de même pas y avoir trente-six mille dimanches qui tombent le 6 novembre. »

Et c'est alors qu'elle vit, imprimé sur la page de garde en vis-à-vis, que ce roman avait été écrit et édité en 1955...

Elle en bégayait presque au téléphone lorsqu'elle m'appela.

Arrivée chez moi, elle était encore sous le choc et me mit le livre devant les yeux en tapotant d'un doigt fébrile le titre, puis la page de garde : « Regarde ! Regarde ! C'est ahurissant, non ? »

Effectivement, je restai ahurie, moi aussi.

Nous étions là toutes les deux, l'air assommé, en silence, chacune se disant qu'il était impossible, alors qu'il existe des milliers de livres, qu'elle soit tombée par hasard sur celui-là, précisément ce jour-là, avec en première page la date anniversaire de leur mort : dimanche 6 novembre 1955...

Nous nous regardions, l'esprit chaviré.

Un ange passait. Peut-être deux...

Puis d'une voix un peu angoissée, très sérieusement, elle me dit : « Mais toi, TOI, est-ce que tu y CROIS ? »

Est-ce que j'y crois...

J'aimerais bien être une personne de foi. Ça doit être rassurant d'avoir la foi.

Mais je crois malheureusement avoir un tempérament porté vers le doute. Il vient toujours tempérer mes élans,

freiner mes croyances. Mais, après tout, le doute peut très bien accompagner le sourire intérieur qui fleurit dans une circonstance comme celle-là. Je le découvre.

On voudrait tant croire que nos morts aimés sont là avec nous qu'on n'ose pas y croire. On doute et pourtant on y croit déjà. L'idée n'est plus angoissante ni non plus rassurante – elle est…

Je racontai cette histoire à mon ami Maurice. Et je lui dis – avec une réserve d'une prudence extrême – qu'en admettant que nos morts, nos parents aient voulu nous faire un signe, une preuve de leur existence, le moyen choisi ressemblait presque à un gag – passer par un polar, ça ne faisait pas très sérieux pour des morts respectables !

Il me regarda un temps et me répondit sans rire : « Ah oui ? Et pourquoi les vivants auraient-ils le privilège de l'humour ? »

Je parle à mes morts dans ma tête, pas de discours, de petites choses au hasard de ma propre vie. D'ailleurs vous m'avez donné une idée. Je ne sais pas si je crois en Dieu et n'en suis pas tourmentée. Mais j'ai besoin, quand il m'arrive des choses agréables, un bonheur ou simplement si je me sens bien, énergique, et contente en dedans, j'ai besoin de dire merci à... ?

Et je crois que désormais je dirai : merci vous deux. Ça, c'est bien de toi, papa, ou de toi, maman. Merci.

Juste une pensée qui sourit. J'aimerais plus tard que mes enfants me fassent exister ainsi dans leurs pensées.

Je n'aime pas les cimetières. Je n'ai jamais pu ressentir quelque chose devant la tombe de mes parents. Ce n'est rien, ce qui reste là, je n'en veux pas. J'ai dit à mes enfants que je voulais être incinérée. « Je serai quelque chose qui flotte près de vous et dans vos pensées quand vous voudrez m'y accueillir, sans tristesse. Quelque ressemblance de moi sera en vous, et je vous aime tant. »

Si quelque chose continue après la mort, et j'y crois beaucoup, c'est l'amour qu'on laisse. Et votre livre en déborde. Gardez-les dans vos pensées mais débloqués de cette pièce où ils étaient, couchés et inertes. Ils existent, oui, dans vos pensées et ces photos leur donnent les visages que le voile vous cache. Faites-les entrer dans votre vie. Dans la chambre de vos enfants, par exemple, rapprochez-les d'eux, parlez-leur, demandez-leur leur aide. Les enfants comprennent tout si on leur explique. C'est l'absence de mots qui abîme, car ils imaginent toujours le pire et leur culpabilité.

Permettez-moi de vous dire avec la même tendresse

que j'ai ressentie pour l'enfant que vous étiez que j'ai pensé plusieurs fois que ce père et cette mère que vous cherchez tant m'encourageaient, me poussaient à vous écrire.

Anny,

J'espère que vous me pardonnerez ma familiarité. J'ai en effet des choses à vous dire. Vous êtes apparue dans ma vie il y a quelque temps et très rapidement vous m'êtes devenue très proche. Je n'ai jamais écrit à une inconnue ou à un écrivain, mais quoi qu'il en soit, je vous en prie, écoutez-moi.

Je crois que c'était le matin tôt, pendant ces petits déjeuners bruyants mais tendres où les cris des enfants nous tirent de notre torpeur, la radio en bruit de fond, quasi inaudible, chacun mollement affairé à préparer sa journée, bref, ces petits matins banals que vous devez bien connaître.

Au milieu du brouhaha, devant mon café, j'ai entendu quelques mots d'une interview de vous.

Choc. Prise en traître. Les larmes sont venues tout de suite, vite réprimées, bien sûr. J'ai reconnu ce langage du cœur, de mon cœur, ces souffrances familières.

Mon mari, attentif et inquiet, a imposé un moment de silence, trop court pour comprendre autre chose que votre nom.

J'ai tenté d'oublier mais vous étiez partout. Petit à petit, la présence insistante de votre deuil s'est imposée en moi. Collante, adhérente, j'étais obligée de l'affronter. L'échéance était proche. A la radio, à la télé, l'oubli était impossible ! Mais je n'avais toujours pas acheté ni lu votre livre. C'est un ami très cher qui me l'a offert. Avec beaucoup d'amour, il m'invitait à gagner ma liberté, à oser. Je ne l'ai pas lu tout de suite, comme un morceau de la vraie croix je l'ai déposé dans ma chambre, attendant le moment,

tournant autour, osant à peine l'effleurer. Pardonnez-moi d'être si longue mais ce qui s'est passé ensuite est très important pour moi et je vous remercie d'en être à l'origine.

Lorsque j'ai commencé, je redoutais l'avalanche de souvenirs, le cœur qui éclate, le gouffre noir qui m'aspire et la chute vertigineuse au fond du désespoir. Je connais ces états et je suis passée quelquefois tout près du grand saut, comme le souffle de la voiture qui vous a renversée.

Mais ce qui s'est passé fut autre chose... J'étais tellement heureuse de ce cadeau que c'est le sourire qui était présent et même le plaisir de toucher cet objet offert par un être si cher !

Et les souvenirs sont apparus, douloureusement doux, et j'ai reconnu en lisant ces pages tant de choses que je connais et j'ai pu accueillir ces souvenirs, cette petite fille, cette douleur, cette honte. Cette petite crispation quand on entend les mots tabous, je la connais si bien, la colère, quand on dit aux autres qu'ils « existent », je l'ai eue si souvent !

Et la vie qui en découle, toute la vie, chaque geste marqué et lié à la blessure. Et tous ces cimetières !

J'ai lu tout ça, je vis tout ça et j'ai failli en crever.

Moi aussi j'ai déifié mes parents et ils me cachent Dieu. Vous êtes actrice pour donner le change, que pouvais-je être d'autre que médecin-réanimateur ? On m'a offert mes souvenirs en cadeau. J'accepte avec émotion. J'accepte les larmes qui coulent pendant que je vous écris. J'accepte de penser à eux, de les sentir en moi, de sentir tout l'amour que j'ai pour eux.

J'accepte de ne pas les oublier.

J'accepte leur présence.

Votre livre a une suite, par cette histoire qui vous a peut-être semblé trop longue, ces concours de circons-

tances où le hasard n'a pas sa place, il m'a permis de comprendre ce que peut signifier symboliquement le mot « Résurrection ».

Le vent se lève, je vais tenter de vivre.

Je vous avais entendue dire que vous écriviez sur un non-souvenir des choses, des gens de votre enfance.

Je vous avais entendue parler de la méfiance que vous aviez envers vous-même.

De la peur des trous d'absence.

Je me sentais très familière de tout ce que vous disiez. Je savais que je le serais de ce que vous écriviez.

Du temps qui passe et qui passe, sans qu'on l'utilise.

Sans qu'on l'utilise à ce que l'on sait qui doit se dire.

Et des années, du nombre d'années que l'on met à comprendre l'évidence.

Et du poids des mots. De leur force. De ce qu'un mot vous révèle.

Vous apprend.

Le reste est votre histoire.

De cela je ne suis pas familière.

Mon histoire est autre.

Elle a seulement de commun avec la vôtre qu'elle doit être écrite.

Que je recule ce moment de l'écriture, par des prétextes plus ingénieux les uns que les autres.

Trop de bruit, pas assez de temps. Manque de solitude. Faux prétextes.

Je me dis que c'est donc possible d'écrire deux cents pages sur ce qui a à être écrit. Qu'on peut y arriver. Qu'il faut que j'y arrive.

Je me demande – et je vous le dis parce que vous savez certainement à quel point les idées s'emballent et en deviennent folles – je me demande justement si je n'en deviendrai pas folle d'écrire ce que je veux écrire. Dont je sais les grandes lignes mais dont je ne

sais pas où ça va m'emmener. A quoi cela va me mener.

Je pensais écrire pour moi seule. Écrire et oublier avoir écrit.

Me libérer seulement.

Et puis, au même moment où je ressens une espèce de claustrophobie pour ces papiers que je remplis et que j'enferme dans une pochette, je vous entends dire que ranger ce que vous étiez en train d'écrire dans votre troisième tiroir serait encore un silence qui se refermerait sur lui-même, alors que l'essentiel de votre démarche était de rompre un trop long silence.

Je vais écrire.

Et puis être lue.

« Il ne m'était jamais venu à l'esprit qu'on écrivait pour être lu. » Sartre.

Merci.

Il ne s'agit pas d'un roman. Et ceci n'est pas une réponse.

Vous avez fait de la nécessité qui s'est imposée à vous un livre utile.

Un livre qui est un terrain de rencontre rare pour les humains qui ont cette souffrance-là, quelle qu'en soit l'origine.

On vous suit. Et on pose un autre regard sur soi : on comprend souvent chez l'autre ce que l'on est incapable de voir en soi-même.

Comme si sur ce plan-là également on avait besoin d'un miroir pour se voir.

Puissant reflet de cette mémoire qu'on a tous et qui fait semblant de ne pas se souvenir.

Je n'avais jamais regardé de photos comme cela auparavant.

Je les ressentais. Moi qui ne ressens plus rien… Et j'ai pensé : faire de la photo.

Et si votre livre était le point de départ de quelque chose ?

J'ai vingt-huit ans et un Canon en poche dont je ne sais pas (encore) me servir.

Je vous souhaite pour les années à venir de la vraie légèreté.

J'ai eu de vos nouvelles, début avril, sans que vous le sachiez... Oui, vous m'avez dépassée rue de Rennes, un après-midi. Je n'ai pas osé vous aborder. Vous étiez très belle, rayonnante, vêtue d'un ensemble blanc et noir, en tissu léger. Il y avait du soleil, on commençait à sentir le printemps mais il faisait frais. Je me suis dit que vous n'étiez pas frileuse... Puis vous êtes entrée dans une boutique. Des gens vous ont reconnue et vous regardaient à travers la vitre de la vitrine. Je suis vite passée. J'ai été contente de vous voir ainsi, l'allure dégagée, comme libre, heureuse. J'ai pensé : « Tiens ? On dirait que les fantômes ont reculé... »

Maintenant que je suis arrivée à la fin de ce livre, je vais vous faire un aveu. J'ai eu un mal fou à l'écrire. Je n'en pouvais plus...

Quand j'ai commencé, j'étais déjà dans le renouveau, dans mon printemps retrouvé. C'était terriblement lourd d'avoir à revivre l'apparition de ma mère, mes crises de manque, ces mois d'angoisse. Impression de replonger, d'être à nouveau tirée en arrière.

Ce que me prédisait ce journaliste voilà maintenant presque deux ans est arrivé. J'en ai assez. J'en ai marre de ma propre histoire. Ras le bol, vraiment. Je me suis accrochée à vos lettres sans arrêt pour avoir le courage de continuer. N'étaient l'envie, le besoin de transmettre ce que vous m'avez donné, j'aurais bien laissé choir le stylo à chaque page.

Du coup, je suis désolée, ce n'est pas très bien écrit, je crois. Je me le reproche un peu. J'aurais pu faire parfois plus concis, ou plus rigoureux, aller plus loin dans certains passages, réfléchir davantage... Mais voilà, il n'était plus l'heure de rester assise des heures à décortiquer, disséquer telle réaction ou telle pensée. Me laisser mariner dans mes douleurs encore six mois ? Ah non ! Assez ! Le délai officiel du deuil est d'un an chez nous, deux ans dans certains pays – voilà bientôt deux ans que j'ai fini d'écrire *Le Voile noir*, un an que le livre est en librairie et que vous avez commencé à m'envoyer vos paroles, à me tendre la main à votre tour. C'est bien. Ça va. Ça suffit. Il faut passer à autre chose, maintenant.

Je ne saurais dire que j'ai fait mon deuil. Je m'en garderai bien ! J'ai encore de grands pas à faire, la douleur que je sens pour le moment assagie reviendra peut-être me surprendre plus tard ? Je ne sais. Mais au moins ai-je réussi une chose

Que vous souhaiter ? Retrouver la mémoire et hurler de regret, d'un autre regret ? Garder ce voile et hurler d'impuissance ? Bien sûr, le livre est sorti depuis longtemps déjà... Vous avez dû vivre d'autres choses, d'autres avancées... Je suis frappée par le moyen choisi : vous donner à tant de gens.

En fait, je me dis, en vous écrivant, que, paradoxalement, parler de votre livre à mon entourage serait indécent ! C'est vous qui publiez, qui donnez à lire cette intimité, et je trouve indécent, difficile, voire impossible, de parler de votre livre : je souhaite le garder pour moi, pour nous.

Je me suis demandé si offrir ce livre à tant de gens ne vous aidait pas, en quelque sorte, à soutenir ce destin hors du commun qui est le vôtre, donner clairement à entendre à tout le monde que cette vie est unique, c'est peut-être la justifier dans son étrangeté. C'est peut-être aussi, à l'inverse, tenter de la banaliser. Si oui, je pense que c'est un échec : magnifié par le texte, magnifié par la beauté solitaire des photos, ce livre vous rend, à mes yeux s'entend, plus inaccessible encore. Malgré cette intimité dans laquelle vous nous faites plonger, reste une distance, celle de la célébrité peut-être. J'ai reçu votre livre, en fin de compte, comme un travail superbe de l'impuissance. Est-ce cela qu'il faut accepter ? Est-ce le deuil de la puissance qu'il vous faut faire ?

avec votre aide : à faire que mes parents deviennent enfin de VRAIS morts. A les sortir de moi, de la crypte sacrée dans laquelle je les avais enfermés à l'intérieur de mon être.

Bien sûr, j'avais fait l'effort de dire, d'ouvrir, de les exposer en librairie comme on expose les défunts avant de les enterrer, mais sans votre aide je risquais fort de tomber d'un mal dans un pis, de m'enferrer dans un autre danger, un autre immobilisme : après les avoir figés dans mon regret, j'aurais pu les statufier en littérature. Ils seraient restés là, éternellement jeunes et souriants sur leurs photos, immuables, magnifiés, déifiés comme dans un reliquaire. Je les posais publiquement bien devant moi, mes deux héros perdus et sublimés, au lieu de les laisser derrière moi comme des morts normaux.

Oui. Les rendre sacrés et m'associer définitivement à eux était sans doute une tentation sous mes efforts apparents de libération.

Vous ne vous y êtes pas laissé prendre. Vous n'avez pas laissé se refermer cet autre piège sur moi. Vous êtes venus un par un, qui pour rassurer, qui pour partager, qui pour secouer, et révéler, et désigner le chemin à faire en disant : « N'aie pas peur. »

Vous m'avez sortie de ma tour d'ivoire pour m'amener dans cette contrée inconnue : le sort commun. Petit à petit, je m'y sens chez moi. Je me reconnais en vous comme vous en moi. Je ne suis plus une princesse blessée cloîtrée en son mal et qui se hausse de cette certitude d'être unique avec sa douleur. Mon histoire est unique, oui, comme toutes les histoires, mais ma douleur ne l'est pas. Maintenant je le sais. L'aurais-je jamais effectivement su, si vous ne me l'aviez pas fait ressentir ?

Je ne renie pas cette force que j'ai tirée du sentiment de ma particularité, elle m'a été bien utile, et sans doute salvatrice au début.

Ce secret, cette part de moi si étanche que nul ne pouvait l'attaquer, cette certitude qu'à part la mort rien n'était dramatique, ce sentiment d'être « au-dessus de la mêlée »

Je crois, comme vous, que je ne guérirai jamais tout à fait de cette blessure d'enfant. Simplement on peut « vivre avec », sans qu'elle vous dévore. Vous avez tellement raison d'écrire qu'elle « tient compagnie ». J'ai longtemps souhaité ne l'avoir jamais connue. A présent je me dis qu'elle fut positive. Elle aurait pu détruire ma vie, et il se trouve qu'elle a mis au jour en moi tant d'énergie, de compréhension, de capacité d'amour, que je lui dois sans doute de m'être découverte et enfin acceptée.

dans ce long ruban de temps à vivre sans EUX, n'ont pas été seulement de mauvaises choses. Cela m'a permis de ne pas prendre au sérieux ce qui ne l'était pas, de ne pas me laisser abuser, griser trop facilement, de ne pas être trop blessée par mes échecs, et aussi d'éviter l'envie et la jalousie.

Non, il n'y avait pas que du mauvais. Mais voilà, je sens que cette manière de fonctionner a fait son temps.

Je ne sais pas où je vais, ce qui va changer et comment je vais le vivre. Je sais seulement que ça chante, que ça bouillonne en moi.

Je sais que je ne sais plus grand-chose, et qu'il faut apprendre à marcher autrement. Accepter une main, des bras tendus. Me reposer, respirer. Laisser faire, enfin. Écouter aussi.

Et travailler.

Continuer, comme le disait si joliment un de mes amis, « à faire humblement mon métier de star ».

Voilà c'est tout. Cela suffit, vous m'avez comprise. Je vais bien et je suis fatiguée de mon histoire.

J'ai déchiré ce matin le journal intime que j'avais tenu depuis *Le Voile noir*, pendant cette année et demie de larmes et de deuil, et dont j'ai reproduit ici quelques extraits. Je ne veux pas garder ça, ce ressassement, cette écriture en guirlande refermée sur elle-même, impuissante, ces pages noircies avec une régularité maniaque, sans marge sur le côté, ni en haut ni en bas, dense comme un refus...

Je l'ai déchiré par paquets, en quatre. J'ai refermé le tout dans un sac plastique et je l'ai flanqué à la poubelle. Je veux vivre mes pages blanches...

Alors, comme ceci est aussi votre livre, à égalité avec moi, je vais vous laisser le finir. Vous écouter me parler encore une fois.

*

Je voulais vous remercier d'avoir eu ce courage de faire tomber vos divinités dans le domaine commun, d'avoir osé faire partager votre douleur, votre secret.

J'ai aussi goûté une profonde joie intérieure à découvrir ces photos qui transcendent ce qu'elles ont capté.

J'y ai perçu un esprit qui saisit l'harmonie, qui jouit non pas de ce qu'il voit mais de l'image intime, unique qu'il s'en fait. Voyez-vous, j'ai maintenant chez moi ces photos, ces portraits de vos parents et vos mots qui leur font à jamais un cortège, indissociables.

Je suis là, je passe, je vaque à mes affaires, le livre est là, mon regard effleure la couverture un instant, je pense à eux. En osant nous les confier, vous pouvez être sûre, vous qui aviez si peur de les voir mourir une deuxième fois en allégeant votre peine et votre regret, qu'ils resteront vivants car vous leur avez fait don de toutes ces vies différentes, de tous ces regards différents, ceux de vos lecteurs.

Ces deux orphelins de la vie ont une immense famille maintenant qui les porte et veille sur eux.

Aussi reposez-vous un peu. N'ayez ni crainte, ni remords.

Maintenant que vous avez trouvé la force de desserrer l'étreinte sur eux qui vous retenaient prisonnière, posez un peu votre fardeau, reposez-vous. Nous sommes là.

Que la vie vous soit douce.

*

Oui, vous voyez, c'est ce que je vais faire. Me reposer, sans crainte et sans remords. Je sais qu'ILS sont aussi chez vous et dans vos pensées.

Merci.

*

Je me sens si proche de vous que cette lettre devait éclore.

Car moi aussi je suis orpheline.

Après soixante ans de mariage mes parents sont morts, l'un après l'autre, à soixante-dix-neuf et quatre-vingt-cinq ans, doucement, discrètement, comme ils avaient vécu.

Alors pourquoi me direz-vous, « orpheline » ?

Je me suis beaucoup occupée d'eux, maman est morte dans mes bras – un beau cadeau, paraît-il ! Et papa d'épuisement, et aussi, je crois, d'amour.

Orpheline, oui... Le vide est immense.

La vie a repris son cours.

Contrairement à vous je vais les voir souvent, dans le petit cimetière où ils sont désormais en repos, j'espère.

Et puis il me reste certains outils, et puis il me reste les photos, et puis il me reste ma mémoire. Et le jour où chez vous le voile se déchirera, une force inconnue vous poussera et vous irez « les voir ». Ils font partie de vous et c'est bien.

Surtout, le jour où ils vous appelleront, allez-y doucement car vous avez tout votre temps. Ce jour-là je vous le dis, je le sais, vous décommanderez tous vos rendez-vous ou vous arriverez en retard partout, et puis...

*

Je n'ai pas fait cela encore. Non je n'ai pas été au cimetière. Cela viendra un jour, peut-être. Mais je ne veux rien forcer, j'irai doucement...

*

J'ai écouté très intensément vos lignes, votre question, votre plainte. Et quelque chose a surgi de là, comme une

évidence : votre rire, votre joie, votre force à vivre.

Vous la soulignez comme une incongruité, cette joie d'enfant de neuf ans, cet élan au jeu, à la course, à l'essoufflement emperlé de sueur : enfant, enfant solaire et lumineuse. J'emploie à dessein les mots que vous utilisez, cent pages plus loin, pour qualifier vos parents : joyeux, solaires, lumineux. Voilà ce que au lendemain de leur mort niée vous avez décidé d'être.

Voilà ce qu'ils vous ont directement transmis : tout de suite vous avez repris la flamme de leur clarté vivante. Et ce message de rire, qui d'autre que vous, enfant de neuf ans, aurait pu l'écouter et le faire sien ?

Parmi les parents, les amis accablés de cette double mort, il ne pouvait pas s'en trouver un seul pour l'entendre. Votre sœur était bien trop petite. Il n'y avait que vous pour sauver d'eux ce qui était plus que des souvenirs : ce qui faisait la trame, l'essence même de leur vie : la joie, ce pétillement d'étincelles dans les yeux de votre père, cette impatience que l'on sent dans les photos posées à se remettre en mouvement, à repartir d'un bond, ou à l'affût, vers ce qui fait le beau du monde.

N'accusez plus cette gaieté qui fut la vôtre de n'être que monstrueusement indifférente, quand elle est au contraire la plus grande, la plus profonde des fidélités. L'on témoigne de sa force de vie tant que, frappé de deuil, on remplace ses morts (la seule manière pour eux, pour vous, de faire qu'ils ne sont jamais morts : les « réincarner »). Vos parents ne pouvaient pas trouver de « remplaçants », et c'est vous, enfant, qui les avez pris tout entiers, vous vous êtes faite EUX *– et comment alors auriez-vous pu penser leur mort ?*

C'eût été vous tuer vous-même, c'eût été ne pas jouer le jeu, un jeu qui ne supporte pas d'être double ; si vous étiez cette force de vie qui les réincarnait, il était inconcevable d'y introduire la réalité de la mort.

Née d'eux, de leur mort, oui vous l'êtes, pour avoir réintégré aussitôt en vous toute leur force de vie, tout ce

message de joie dont ils vous avaient bercée pendant neuf ans.

Vous n'avez rien oublié, vous avez retenu l'essentiel, ce que personne d'autre que vous ne pouvait voir et vivre.

A présent, devenue « grande », vous cherchez leur tristesse : dans les yeux de votre mère, dans les brumes des photos de votre père.

Vous avez maintenant d'autres forces, de la vie coulée, des enfants. Et cette face de brume qui était aussi la leur mais n'apparaissait sans doute qu'à quelques regards plus qu'attentifs, vous y avez droit aussi : mais pour la retrouver, ainsi que vos souvenirs, il faudra que vous soyez vraiment forte : faites en sorte qu'en retrouvant leurs images de vivants, vous ne perdiez pas la joie qui leur a permis, jusqu'à aujourd'hui, de vivre au-delà d'eux dans votre force active.

Voilà. Je vous donne cette lettre, cette heure passée à l'écrire en pensant à vous, à votre regard ouvert sur l'inquiétude d'un miroir. J'aurais aimé vous convaincre au moins de ce que votre oubli joyeux comportait d'hommage et de fidélité.

Bonne chance. Bonne vie.

*

Je ferai attention, oui. Merci.

*

On a envie de vous aider avec patience, avec amour.

Je suis catholique mais après avoir tout rejeté de la religion de nos ancêtres et avoir tout reconstruit devant l'Évidence. Toutes les autres religions me sont connues et toutes les formes d'ésotérisme. Donc, je crois pouvoir,

avec mes soixante-dix ans, vous parler de l'au-delà, des morts, et de nous-mêmes en face de ces mystères dont certains ont révélé leur secret.

Partout il est dit de chasser le remords. Il empêche d'avancer soi-même et ceux envers qui on pourrait en avoir.

Quels remords ? Petite fille jouet d'un destin, d'une volonté supérieure ou... inférieure (le mal existe...).

Vous êtes au monde pour accomplir ce que ces deux êtres n'ont pu terminer.

Un amour, des enfants, un art... l'accomplir peut-être plus en plénitude qu'eux-mêmes. Ce qui leur a manqué dans le temps et dans le fond, vous devez l'accomplir. Oui, le parfaire, le transfigurer. Et non pas éternellement re-creuser cette fosse, ré-enterrer, les chercher tels qu'ils ne sont plus, les rendre coupables de vous avoir abandonnée.

Ils sont bien plus proches de vous que vous le croyez, présents, attentifs, lumineux, souriants de vos joies, malheureux de vos peines et de celle-là en particulier qu'ils vous ont faite sans le vouloir.

Il faut enlever la « boue » de vos yeux, vous décontracter, les accueillir dans votre quotidien, les ressusciter, les re-susciter, leur redonner la valeur première de conseillers, d'amoureux, de vivants. J'ai mille raisons de vous dire cela, les morts ne sont morts que si on les enterre. Sinon, ils travaillent pour nous, ils terminent autrement ce pour quoi ils étaient faits. Nous devons les accompagner et les aider à nous accompagner, dans un va-et-vient dynamique, chaud, éblouissant.

Ce livre est le cri que vous deviez pousser, énorme, déchirant. C'est fait. Maintenant avec eux, par eux, continuez vos belles œuvres. Continuez vos rôles, cette émotion contenue, cette distance. Conduisez jusqu'au bout de votre vie l'amour avec un être qui vous ressemble. Et soyez avec vos enfants ce que vous auriez aimé qu'on fût avec vous. Et au milieu de tout cela, met-

tez vos parents qui n'attendent que cela pour vous rejoindre dans la vie et non pas dans le drame, la frustration toujours recommencée pour eux et qui les empêchent d'avancer et d'agir.

Des recettes ? Ne pas laisser s'installer la peur ou le remords au ventre (je connais !), respirer un bon coup, chasser l'image. Ce n'est pas infidélité. C'est tout le contraire.

Prendre une photo de leur double sourire et les faire participer à tout ce que vous faites. Vous abandonner à tout ce qui est bon pour vous… ils suivront. Et insensiblement vous sentirez les choses se renverser et prendre leur vrai sens.

*

Je vais essayer. Vous avez raison.

*

Ce livre était une étape, non une solution. Moi, je vous le dis et c'est très important : ne vous hâtez pas. C'est très sérieux. Prenez votre temps, tout le temps nécessaire. Si vous alliez trop vite, vous vous perdriez vous-même. Vous perdriez de vous ce qui vous reste à sauver. Il faut expliquer cela aux vôtres et leur dire qu'ils prennent patience.

Certainement, des gens importants vous ont écrit, je veux dire, plus sérieux, qui ont une culture, des connaissances que je n'atteindrai jamais. Mais pour autant, ne négligez pas ce que je vous dis là. Je pense que de vous-même, vous ne tomberiez pas dans le piège d'aller trop vite. Aussi, croyez d'abord en votre propre instinct. NE VOUS HÂTEZ PAS !

*

Je vous écoute. J'y penserai, je vous le promets. Je ferai les pas un à un, sans rien presser. A la fin du *Voile noir* je situais à vingt ans le temps nécessaire pour parvenir à parler d'EUX sans pleurer. J'y suis presque arrivée, vous voyez, c'est encourageant. Je souhaite tout de même ne pas avoir besoin de tout ce temps pour retrouver quelques souvenirs de mon enfance oubliée.

*

Je n'ai plus mon compagnon disparu il y a plus de huit ans… ou huit jours, je ne sais. Je sais, l'expérience de la solitude aidant, qu'il n'y a pas de deuil à faire, l'inéluctable ne s'accepte pas, le temps n'apaise pas. Il transforme.

En ce qui vous concerne, je crois pouvoir vous assurer qu'il n'est ni trop tard, ni trop tôt ; simplement le moment n'est pas venu où la photographie de votre enfance, cliché au développement duquel vous aspirez, cela avec tout votre amour pour eux, tout votre besoin d'eux, un jour vous apparaîtra avec une netteté surprenante. Ça ne sera pas l'apaisement ni l'oubli, ça SERA, *c'est tout.*

Peut-être dans plus de vingt ans ?

Merci à

Josette, Danielle, François, Marie-Josée, Louis, Marie-Alice, Arlette, Nicole, Françoise, Jean-Paul, Claudine, Gaëlle, Christine, Giselle, Christian, Isabelle, Alice, Geneviève, Barbara, Denise, Pierre, Françoise, Marie-Paule, Jeanne, Maud, Béatrice, Sylvie, Nicole, France, Simone, Pierre, Anne, Jerry, Pierre et Simone, Dominique, Jean-François, Christine, Micheline, Monique, Anne, Cécile, Odile, Raymond, Monique, Patricia, Odile, Mireille, Dominique, Janine, Anne, Marielle, Marie-Ange, Nathalie, Anne-Marie, Danièle, Janine, Antoine, Jean-Luc, Annie, Nicole, Patricia, Jocelyne, Christine, Jean-Paul, Catherine, Henri, Daniel, Geneviève, Évelyne, Sylvain, Pierre-Marie, Claude, Patrick, Marie-Estelle, Louise, Paulette, Sylvie, Alain, Denise, Annie, Agnès, Anne, Thérèse, Muriel, Yvonne, Catherine, Élyse, Michelle, Anne, Michèle, Simone, Maria, Lynn, Thérèse, Danielle, Marie-Christine, Gilles, Josette, Nina, Sylvie, Annie

et à tous les autres, dont les lettres
ne sont pas dans le livre.

Par contre, je tiens à présenter mes excuses aux quelques personnes à qui je n'ai pu demander l'autorisation de publier, soit parce qu'elles m'avaient écrit de façon anonyme, soit parce que j'avais malencontreusement égaré leur adresse. J'ai tout de même parfois pris leurs mots, parce que je les aimais – j'espère qu'elles ne m'en tiendront pas rigueur.

RÉALISATION : PAO ÉDITIONS DU SEUIL
IMPRESSION : BUSSIÈRE CAMEDAN IMPRIMERIES
À SAINT-AMAND (CHER)
DÉPÔT LÉGAL : OCTOBRE 1995 N° 23152 (4/771)

Collection Points

DERNIERS TITRES PARUS

R474. Singulières Jeunes Filles, *par Henry James*
R475. Franny et Zooey, *par J. D. Salinger*
R476. Vaulascar, *par Michel Braudeau*
R477. La Vérité sur l'affaire Savolta, *par Eduardo Mendoza*
R478. Les Visiteurs du crépuscule, *par Eric Ambler*
R479. L'Ancienne Comédie, *par Jean-Claude Guillebaud*
R480. La Chasse au lézard, *par William Boyd*
R481. Les Yaquils, *suivi de* Ile déserte, *par Emmanuel Roblès*
R482. Proses éparses, *par Robert Musil*
R483. Le Loum, *par René-Victor Pilhes*
R484. La Fascination de l'étang, *par Virginia Woolf*
R485. Journaux de jeunesse, *par Rainer Maria Rilke*
R486. Tirano Banderas, *par Ramón del Valle-Inclán*
R487. Une trop bruyante solitude, *par Bohumil Hrabal*
R488. En attendant les barbares, *par J. M. Coetzee*
R489. Les Hauts-Quartiers, *par Paul Gadenne*
R490. Je lègue mon âme au diable, *par Germán Castro Caycedo*
R491. Le Monde des merveilles, *par Robertson Davies*
R492. Louve basse, *par Denis Roche*
R493. La Couleur du destin
par Carlo Fruttero et Franco Lucentini
R494. Poupée blonde
par Patrick Modiano, dessins de Pierre Le-Tan
R495. La Mort de Lohengrin, *par Heinrich Böll*
R496. L'Aïeul, *par Aris Fakinos*
R497. Le Héros des femmes, *par Adolfo Bioy Casares*
R498. 1492. Les Aventures de Juan Cabezón de Castille
par Homero Aridjis
R499. L'Angoisse du tigre, *par Jean-Marc Roberts*
R500. Les Yeux baissés, *par Tahar Ben Jelloun*
R501. L'Innocent, *par Ian McEwan*
R502. Les Passagers du Roissy-Express
par François Maspero
R503. Adieu à Berlin, *par Christopher Isherwood*
R504. Remèdes désespérés, *par Thomas Hardy*
R505. Le Larron qui ne croyait pas au ciel
par Miguel Angel Asturias

R506. Madame de Mauves, *par Henry James*
R507. L'Année de la mort de Ricardo Reis, *par José Saramago*
R508. Abattoir 5, *par Kurt Vonnegut*
R509. Comme je l'entends, *par John Cowper Powys*
R510. Madrapour, *par Robert Merle*
R511. Ménage à quatre, *par Manuel Vázquez Montalbán*
R512. Tremblement de cœur, *par Denise Bombardier*
R513. Monnè, Outrages et Défis, *par Ahmadou Kourouma*
R514. L'Ultime Alliance, *par Pierre Billon*
R515. Le Café des fous, *par Felipe Alfau*
R516. Morphine, *par Mikhaïl Boulgakov*
R517. Le Fou du tzar, *par Jaan Kross*
R518. Wolf et Doris, *par Martin Walser*
R519. La Course au mouton sauvage, *par Haruki Murakami*
R520. Adios Schéhérazade, *par Donald Westlake*
R521. Les Feux du Bengale, *par Amitav Ghosh*
R522. La Spéculation immobilière, *par Italo Calvino*
R523. L'homme qui parlait d'Octavia de Cadix *par Alfredo Bryce-Echenique*
R524. V., *par Thomas Pynchon*
R525. Les Anges rebelles, *par Robertson Davies*
R526. Nouveaux Contes de Bustos Domecq *par Jorge Luis Borges et Adolfo Bioy Casares*
R527. Josepha, *par Christopher Frank*
R528. L'Amour sorcier, *par Louise Erdrich*
R529. L'Europe mordue par un chien, *par Christophe Donner*
R530. Les hommes qui ont aimé Evelyn Cotton *par Frank Ronan*
R531. Agadir, *par Mohammed Khaïr-Eddine*
R532. Brigitta, *par Adalbert Stifter*
R533. Lune de miel et d'or, *par David Shahar*
R534. Histoires de vertige, *par Julien Green*
R535. Voyage en France, *par Henry James*
R536. La Femme de chambre du Titanic, *par Didier Decoin*
R537. Le Grand Partir, *par Henri Gougaud*
R538. La Boîte noire, *par Jean-Luc Benoziglio*
R539. Le Prochain sur la liste, *par Dan Greenburg*
R540. Topkapi, *par Eric Ambler*
R541. Hôtel du lac, *par Anita Brookner*
R542. L'Aimé, *par Axel Gauvin*
R543. Vends maison, où je ne veux plus vivre *par Bohumil Hrabal*

R544. Enquête sous la neige, *par Michael Malone*
R545. Sérénissime, *par Frédéric Vitoux*
R547. Les Girls du City-Boum-Boum, *par Vassilis Alexakis*
R548. Les Rives du fleuve Bleu, *par Emmanuel Roblès*
R549. Le Complexe polonais, *par Tadeusz Konwicki*
R550. La Patte du scarabée, *par John Hawkes*
R551. Sale Histoire, *par Eric Ambler*
R552. Le Silence des pierres, *par Michel del Castillo*
R553. Une rencontre en Westphalie, *par Günter Grass*
R554. Ludo & Compagnie, *par Patrick Lapeyre*
R555. Les Calendes grecques, *par Dan Franck*
R556. Chaque homme dans sa nuit, *par Julien Green*
R557. Nous sommes au regret de..., *par Dino Buzzati*
R559. Nouvelles démesurées, *par Adolfo Bioy Casares*
R560. Sylvie et Bruno, *par Lewis Carroll*
R561. L'Homme de Kiev, *par Bernard Malamud*
R562. Le Brochet, *par Eric Ambler*
R563. Mon valet et moi, *par Hervé Guibert*
R564. Les Européens, *par Henry James*
R565. Le Royaume enchanté de l'amour, *par Max Brod*
R566. Le Fou noir *suivi de* Le Poing fermé, *par Arrigo Boito*
R567. La Fin d'une époque, *par Evelyn Waugh*
R568. Franza, *par Ingeborg Bachmann*
R569. Les Noces dans la maison, *par Bohumil Hrabal*
R570. Journal, *par Jean-René Huguenin*
R571. Une saison ardente, *par Richard Ford*
R572. Le Dernier Été des Indiens, *par Robert Lalonde*
R573. Beatus Ille, *par Antonio Muñoz Molina*
R574. Les Révoltés de la « Bounty »
par Charles Nordhoff et James Norman Hall
R575. L'Expédition, *par Henri Gougaud*
R576. La Loi du capitaine, *par Mike Nicol*
R577. La Séparation, *par Dan Franck*
R578. Voyage autour de mon crâne, *par Frigyes Karinthy*
R579. Monsieur Pinocchio, *par Jean-Marc Roberts*
R580. Les Feux, *par Raymond Carver*
R581. Mémoires d'un vieux crocodile
par Tennessee Williams
R582. Patty Diphusa, la Vénus des lavabos
par Pedro Almodóvar
R583. Le Voyage de Hölderlin en France
par Jacques-Pierre Amette

R584. Les Noms, *par Don DeLillo*
R585. Le Châle, *par Cynthia Ozick*
R587. Liberté pour les ours !, *par John Irving*
R588. Mr. Stone, *par V. S. Naipaul*
R589. Loin de la troupe, *par Heinrich Böll*
R590. Dieu et nous seuls pouvons, *par Michel Folco*
R591. La Route de San Giovanni, *par Italo Calvino*
R592. En la forêt de longue attente, *par Hella S. Haasse*
R593. Lewis Percy, *par Anita Brookner*
R594. L'Affaire D., *par Charles Dickens*
Carlo Fruttero et Franco Lucentini
R595. La Pianiste, *par Elfriede Jelinek*
R596. Un air de famille, *par Michael Ondaatje*
R597. L'Ile enchantée, *par Eduardo Mendoza*
R598. Vineland, *par Thomas Pynchon*
R599. Jolie, la fille !, *par André Dubus*
R602. Le Déménagement, *par Jean Cayrol*
R603. Arrêt de jeu, *par Dan Kavanagh*
R605. La Belle Affaire, *par T. C. Boyle*
R609. Une femme en soi, *par Michel del Castillo*
R610. Le Parapluie jaune, *par Elsa Lewin*
R611. L'Amateur, *par André Balland*
R612. Le Suspect, *par L. R. Wright*
R613. Le Tueur des abattoirs, *par Manuel Vázquez Montalbán*
R614. Mémoires du Capitán Alonso de Contreras
par Alonso de Contreras
R615. Colère, *par Patrick Grainville*
R616. Le Livre de John, *par Michel Braudeau*
R617. Faux Pas, *par Michel Rio*
R618. Quelqu'unbis est mort, *par Jean-Luc Benoziglio*
R619. La Vie, quelque part, *par Anita Brookner*
R620. Iblis ou la Défroque du serpent, *par Armande Gobry-Valle*
R621. Fin de mission, *par Heinrich Böll*
R622. Les Mains vides, *par Maurice Genevoix*
R623. Un amour de chat, *par Frédéric Vitoux*
R624. Johnny s'en va-t-en guerre, *par Dalton Trumbo*
R625. La Remontée des cendres, *par Tahar Ben Jelloun*
R626. L'Enfant chargé de songes, *par Anne Hébert*
R628. La Terre et le Sang, *par Mouloud Feraoun*
R629. Le Cimetière des fous, *par Dan Franck*
R630. Cytomégalovirus, *par Hervé Guibert*
R631. La Maison Pouchkine, *par Andreï Bitov*

R632. La Mémoire brûlée, *par Jean-Noël Pancrazi*
R633. Le taxi mène l'enquête, *par Sam Reaves*
R634. Les Sept Fous, *par Roberto Arlt*
R635. La Colline rouge, *par France Huser*
R636. Les Athlètes dans leur tête, *par Paul Fournel*
R637. San Camilo 1936, *par Camilo José Cela*
R638. Galíndez, *par Manuel Vázquez Montalbán*
R639. China Lake, *par Anthony Hyde*
R640. Tlacuilo, *par Michel Rio*
R641. L'Élève, *par Henry James*
R642. Aden, *par Anne-Marie Garat*
R644. Dis-moi qui tuer, *par V. S. Naipaul*
R645. L'Arbre d'amour et de sagesse, *par Henri Gougaud*
R646. L'Étrange Histoire de Sir Hugo et de son valet Fledge *par Patrick McGrath*
R647. L'Herbe des ruines, *par Emmanuel Roblès*
R648. La Première Femme, *par Nedim Gürsel*
R649. Les Exclus, *par Elfriede Jelinek*
R650. Providence, *par Anita Brookner*
R651. Les Nouvelles Mille et Une Nuits, vol. 1 *par Robert Louis Stevenson*
R652. Les Nouvelles Mille et Une Nuits, vol. 2 *par Robert Louis Stevenson*
R653. Les Nouvelles Mille et Une Nuits, vol. 3 *par Robert Louis Stevenson*
R654. 1492. Mémoires du Nouveau Monde, *par Homero Aridjis*
R655. Lettres à Doubenka, *par Bohumil Hrabal*
R657. Cassandra, *par John Hawkes*
R658. La Fin des temps, *par Haruki Murakami*
R659. Mémoires d'un nomade, *par Paul Bowles*
R660. La Femme du boucher, *par Li Ang*
R661. Anaconda, *par Horacio Quiroga*
R662. Le Polygone étoilé, *par Kateb Yacine*
R663. Je ferai comme si je n'étais pas là, *par Christopher Frank*
R665. Un homme remarquable, *par Robertson Davies*
R666. Une sécheresse à Paris, *par Alain Chany*
R667. Charles et Camille, *par Frédéric Vitoux*
R668. Les Quatre Fils du Dr March, *par Brigitte Aubert*
R669. 33 Jours, *par Léon Werth*
R670. La Mort à Veracruz, *par Héctor Aguilar Camín*
R671. Le Bâtard de Palerme, *par Luigi Natoli*
R672. L'Ile du lézard vert, *par Eduardo Manet*

R673. Juges et Assassins, *par Michael Malone*
R674. L'Enfant de Port-Royal, *par Rose Vincent*
R675. Amour et Ordures, *par Ivan Klíma*
R676. Rue de la Cloche, *par Serge Quadruppani*
R677. Les Dunes de Tottori, *par Kyotaro Nishimura*
R678. Lucioles, *par Shiva Naipaul*
R679. Tout fout le camp !, *par Dan Kavanagh*
R680. Les Sept Solitudes de Lorsa Lopez, *par Sony Labou Tansi*
R681. Le Bout du rouleau, *par Richard Ford*
R682. Hygiène de l'assassin, *par Amélie Nothomb*
R683. Le Crime des pères, *par Michel del Castillo*
R684. Les Adieux, *par Dan Franck*
R686. Annam, *par Christophe Bataille*
R687. L'Homme de la passerelle, *par Isabelle Jarry*
R688. Bambini, *par Bertrand Visage*
R689. Nom de code : Siro, *par David Ignatius*
R690. Paradis, *par Philippe Sollers*
R693. Rituels, *par Cees Nooteboom*
R694. Félidés, *par Akif Pirinçci*
R695. Le Trouveur de feu, *par Henri Gougaud*
R696. Dumala, *par Eduard von Keyserling*
P1. Cent Ans de solitude, *par Gabriel García Márquez*
P2. Le Chevalier inexistant, *par Italo Calvino*
P3. L'Homme sans qualités, tome 1, *par Robert Musil*
P4. L'Homme sans qualités, tome 2, *par Robert Musil*
P5. Le Monde selon Garp, *par John Irving*
P6. Les Désarrois de l'élève Törless, *par Robert Musil*
P7. L'Enfant de sable, *par Tahar Ben Jelloun*
P8. La Marche de Radetzky, *par Joseph Roth*
P9. Trois Femmes *suivi de* Noces, *par Robert Musil*
P10. Un Anglais sous les tropiques, *par William Boyd*
P11. Grand Amour, *par Erik Orsenna*
P12. L'Invention du monde, *par Olivier Rolin*
P13. Rastelli raconte..., *par Walter Benjamin*
P14. Ce qu'a vu le vent d'ouest, *par Fruttero & Lucentini*
P15. L'Appel du crapaud, *par Günter Grass*
P16. L'Appât, *par Morgan Sportès*
P17. L'Honneur de Saint-Arnaud, *par François Maspero*
P18. L'Héritage empoisonné, *par Paul Levine*
P19. Les Égouts de Los Angeles, *par Michael Connelly*
P20. L'Anglais saugrenu, *par Jean-Loup Chiflet*
P21. Jacques Chirac, *par Franz-Olivier Giesbert*

P22. Questions d'adolescents, *par Christian Spitz*
P23. Les Progrès du progrès, *par Philippe Meyer*
P24. Le Paradis des orages, *par Patrick Grainville*
P25. La Rage au cœur, *par Gérard Guégan*
P26. L'Homme flambé, *par Michael Ondaatje*
P27. Ça n'est pas pour me vanter, *par Philippe Meyer*
P28. Notre homme, *par Louis Gardel*
P29. Mort en hiver, *par L. R. Wright*
P30. L'Exposition coloniale, *par Erik Orsenna*
P31. La Dame du soir, *par Dan Franck*
P32. Le Monde du bout du monde, *par Luis Sepúlveda*
P33. Brazzaville Plage, *par William Boyd*
P34. Les Nouvelles Confessions, *par William Boyd*
P35. Comme neige au soleil, *par William Boyd*
P36. Hautes Trahisons, *par Félix de Azúa*
P37. Dans la cage, *par Henry James*
P38. L'Année du déluge, *par Eduardo Mendoza*
P39. Pluie et Vent sur Télumée Miracle
par Simone Schwarz-Bart
P40. Paroles malvenues, *par Paul Bowles*
P41. Le Grand Cahier, *par Agota Kristof*
P42. La Preuve, *par Agota Kristof*
P43. La Petite Ville où le temps s'arrêta, *par Bohumil Hrabal*
P44. Le Tunnel, *par Ernesto Sabato*
P45. La Galère : jeunes en survie, *par François Dubet*
P46. La Ville des prodiges, *par Eduardo Mendoza*
P47. Le Principe d'incertitude, *par Michel Rio*
P48. Tapie, l'homme d'affaires, *par Christophe Bouchet*
P49. L'Homme Freud, *par Lydia Flem*
P50. La Décennie Mitterrand
1. Les ruptures
par Pierre Favier et Michel Martin-Roland
P51. La Décennie Mitterrand
2. Les épreuves
par Pierre Favier et Michel Martin-Roland
P52. Dar Baroud, *par Louis Gardel*
P53. Vu de l'extérieur, *par Katherine Pancol*
P54. Les Rêves des autres, *par John Irving*
P55. Les Habits neufs de Margaret
par Alice Thomas Ellis
P56. Les Confessions de Victoria Plum, *par Anne Fine*
P57. Histoires de faire de beaux rêves, *par Kaye Gibbons*

P58. C'est la curiosité qui tue les chats, *par Lesley Glaister*
P59. Une vie bouleversée, *par Etty Hillesum*
P60. L'Air de la guerre, *par Jean Hatzfeld*
P61. Piaf, *par Pierre Duclos et Georges Martin*
P62. Lettres ouvertes, *par Jean Guitton*
P63. Trois Kilos de café, *par Manu Dibango en collaboration avec Danielle Rouard*
P64. L'Ange aveugle, *par Tahar Ben Jelloun*
P65. La Lézarde, *par Édouard Glissant*
P66. L'Inquisiteur, *par Henri Gougaud*
P67. L'Étrusque, *par Mika Waltari*
P68. Leurs mains sont bleues, *par Paul Bowles*
P69. Contes d'amour, de folie et de mort, *par Horacio Quiroga*
P70. Le vieux qui lisait des romans d'amour, *par Luis Sepúlveda*
P71. Rumeurs, *par Jean-Noël Kapferer*
P72. Julia et Moi, *par Anita Brookner*
P73. Déportée à Ravensbruck *par Margaret Buber-Neumann*
P74. Meurtre dans la cathédrale, *par T. S. Eliot*
P75. Chien de printemps, *par Patrick Modiano*
P76. Pour la plus grande gloire de Dieu, *par Morgan Sportès*
P77. La Dogaresse, *par Henri Sacchi*
P78. La Bible du hibou, *par Henri Gougaud*
P79. Les Ivresses de Madame Monro, *par Alice Thomas Ellis*
P80. Hello, Plum !, *par Pelham Grenville Wodehouse*
P81. Le Maître de Frazé, *par Herbert Lieberman*
P82. Dans la peau d'un intouchable, *par Marc Boulet*
P83. Entre le ciel et la terre, *par Le Ly Hayslip (avec la collaboration de Charles Jay Wurts)*
P84. Sur la route des croisades, *par Jean-Claude Guillebaud*
P85. L'Homme sans postérité, *par Adalbert Stifter*
P86. Le Nez de Mazarin, *par Anny Duperey*
P87. L'Alliance, tome 1, *par James A. Michener*
P88. L'Alliance, tome 2, *par James A. Michener*
P89. Regardez-moi, *par Anita Brookner*
P90. Si par une nuit d'hiver un voyageur, *par Italo Calvino*
P91. Les Grands Cimetières sous la lune, *par Georges Bernanos*
P92. Salut Galarneau !, *par Jacques Godbout*
P93. La Barbare, *par Katherine Pancol*
P94. American Psycho, *par Bret Easton Ellis*
P95. Vingt Ans et des poussières, *par Didier van Cauwelaert*
P96. Un week-end dans le Michigan, *par Richard Ford*

P97. Jules et Jim, *par François Truffaut*
P98. L'Hôtel New Hampshire, *par John Irving*
P99. Liberté pour les ours !, *par John Irving*
P100. Heureux Habitants de l'Aveyron et des autres départements français, *par Philippe Meyer*
P101. Les Égarements de Lili, *par Alice Thomas Ellis*
P102. Le Maître d'escrime, *par Arturo Pérez-Reverte*
P103. Cadavres incompatibles, *par Paul Levine*
P104. La Rose de fer, *par Brigitte Aubert*
P105. La Balade entre les tombes, *par Lawrence Block*
P106. La Villa des ombres, *par David Laing Dawson*
P107. La Traque, *par Herbert Lieberman*
P108. Meurtres à cinq mains, *par Jack Hitt avec Lawrence Block, Sarah Caudwell, Tony Hillerman, Peter Lovesey, Donald E. Westlake*
P109. Hygiène de l'assassin, *par Amélie Nothomb*
P110. L'Amant sans domicile fixe *par Carlo Fruttero et Franco Lucentini*
P111. La Femme du dimanche *par Carlo Fruttero et Franco Lucentini*
P112. L'Affaire D., *par Charles Dickens, Carlo Fruttero et Franco Lucentini*
P113. La Nuit sacrée, *par Tahar Ben Jelloun*
P114. Sky my wife ! Ciel ma femme !, *par Jean-Loup Chiflet*
P115. Liaisons étrangères, *par Alison Lurie*
P116. L'Homme rompu, *par Tahar Ben Jelloun*
P117. Le Tarbouche, *par Robert Solé*
P118. Tous les matins je me lève, *par Jean-Paul Dubois*
P119. La Côte sauvage, *par Jean-René Huguenin*
P120. Dans le huis clos des salles de bains, *par Philippe Meyer*
P121. Un mariage poids moyen, *par John Irving*
P122. L'Épopée du buveur d'eau, *par John Irving*
P123. L'Œuvre de Dieu, la Part du Diable, *par John Irving*
P124. Une prière pour Owen, *par John Irving*
P125. Un homme regarde une femme, *par Paul Fournel*
P126. Le Troisième Mensonge, *par Agota Kristof*
P127. Absinthe, *par Christophe Bataille*
P128. Le Quinconce, vol. 1, *par Charles Palliser*
P129. Le Quinconce, vol. 2, *par Charles Palliser*
P130. Comme ton père, *par Guillaume Le Touze*
P131. Naissance d'une passion, *par Michel Braudeau*
P132. Mon ami Pierrot, *par Michel Braudeau*

P133. La Rivière du sixième jour (Et au milieu coule une rivière) *par Norman Maclean*
P134. Mémoires de Melle, *par Michel Chaillou*
P135. Le Testament d'un poète juif assassiné, *par Elie Wiesel*
P136. Jésuites, 1. Les conquérants *par Jean Lacouture*
P137. Jésuites, 2. Les revenants *par Jean Lacouture*
P138. Soufrières, *par Daniel Maximin*
P139. Les Vacances du fantôme, *par Didier van Cauwelaert*
P140. Absolu, *par l'abbé Pierre et Albert Jacquard*
P141. En attendant la guerre, *par Claude Delarue*
P142. Trésors sanglants, *par Paul Levine*
P143. Le Livre, *par Les Nuls*
P144. Malicorne, *par Hubert Reeves*
P145. Le Boucher, *par Alina Reyes*
P146. Le Voile noir, *par Anny Duperey*
P147. Je vous écris, *par Anny Duperey*
P148. Tierra del fuego, *par Francisco Coloane*
P149. Trente Ans et des poussières, *par Jay McInerney*
P150. Jernigan, *par David Gates*
P151. Lust, *par Elfriede Jelinek*
P152. Voir ci-dessous : Amour, *par David Grossman*
P153. L'Anniversaire, *par Juan José Saer*
P154. Le Maître d'escrime, *par Arturo Pérez-Reverte*
P155. Pas de sang dans la clairière, *par L. R. Wright*
P156. Une si belle image, *par Katherine Pancol*
P157. L'Affaire Ben Barka, *par Bernard Violet*
P158. L'Orange amère, *par Didier Van Cauwelaert*
P159. Une histoire américaine, *par Jacques Godbout*
P160. Jour de silence à Tanger, *par Tahar Ben Jelloun*
P161. La Réclusion solitaire, *par Tahar Ben Jelloun*
P162. Fleurs de ruine, *par Patrick Modiano*
P163. La Mère du printemps (L'Oum-er-Bia) *par Driss Chraïbi*
P164. Portrait de groupe avec dame, *par Heinrich Böll*
P165. Nécropolis, *par Herbert Lieberman*
P166. Les Soleils des indépendances, *par Ahmadou Kourouma*
P167. La Bête dans la jungle, *par Henry James*
P168. Journal d'une parisienne, *par Françoise Giroud*
P169. Ils partiront dans l'ivresse, *par Lucie Aubrac*
P170. Le Divin Enfant, *par Pascal Bruckner*